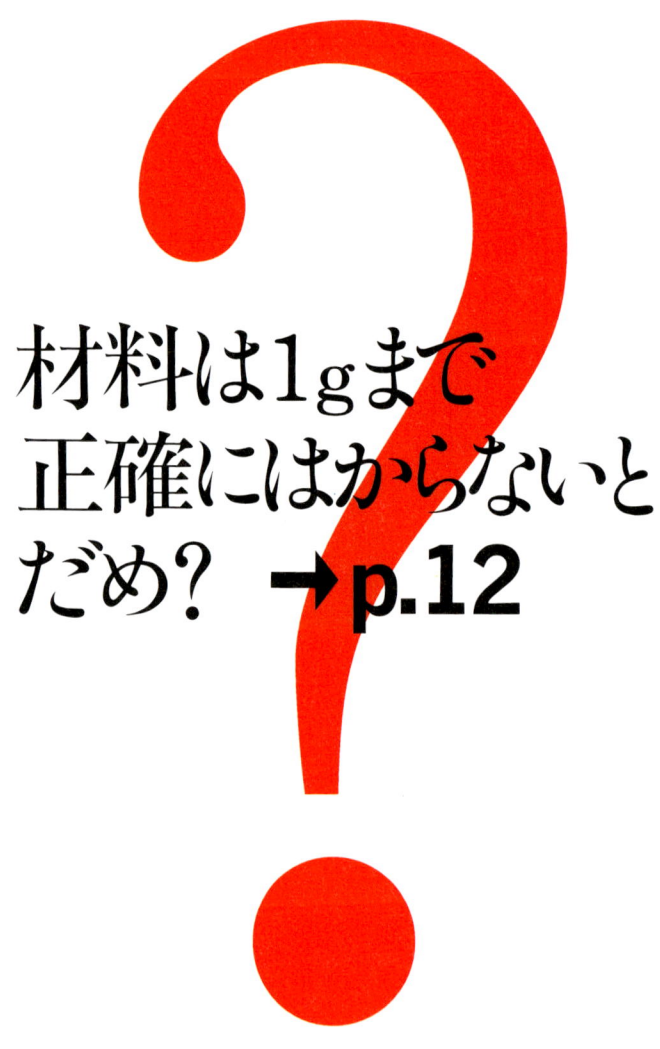

材料は1gまで
正確にはからないと
だめ？ ➡p.12

砂糖はグラニュー糖がいい？ ➡p.10

道具はやっぱりプロ用がいい？ ➡p.11

ハンドミキサーって、絶対必要？ ➡p.11

砂糖やバターを減らして作ってもいい？ ➡p.12

本のとおりの温度で焼いたのに、うまく焼けないのは？ ➡p.13

スポンジケーキのなぜ

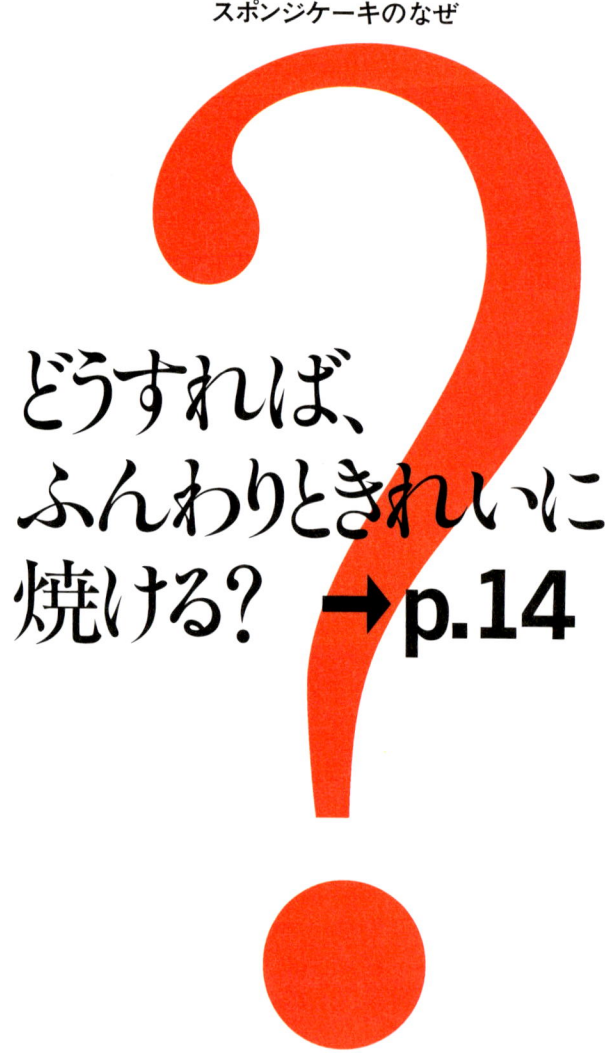

どうすれば、
ふんわりときれいに
焼ける？ ➡p.14

共立て法と別立て法はどう違う？ ➡p.14

オーブンから出したら、しぼんじゃった！ ➡p.19

デコレーションのクリームは？ ➡p.26

ロールケーキも作りたい！ 生地は同じ？ ➡p.38

スポンジケーキのなぜ

泡立ては湯せんでないとだめ？ ➡p.18

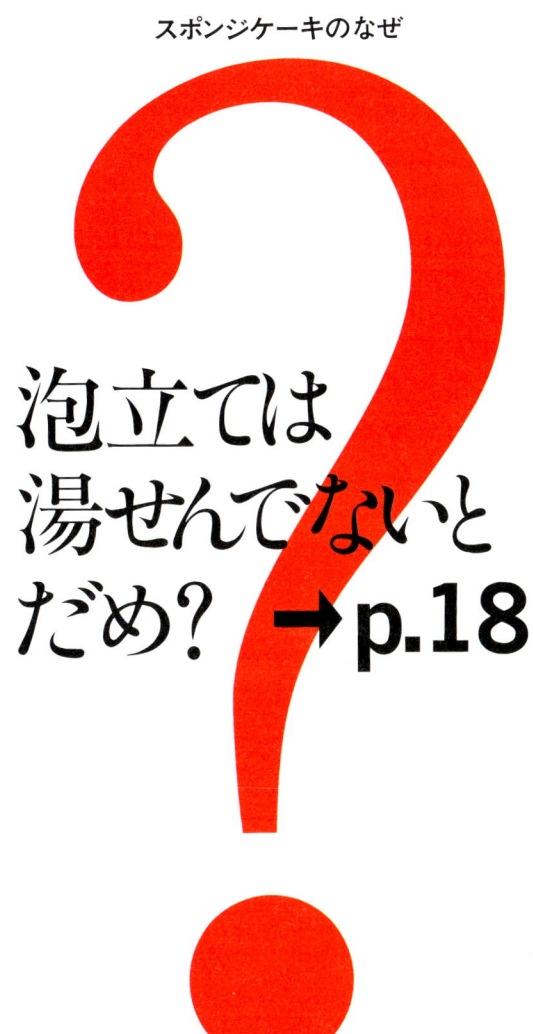

どのくらいまで泡立てればいい？ ➡p.18
粉を加える前に水を入れる!? ➡p.19
粉は泡立て器で混ぜる!? ➡p.19
粉がうまく混ざらない！ ➡p.19
とかしバターは熱いまま!? ➡p.19
焼上りの目安は？ ➡p.19
しっかりしたメレンゲを作りたい！ ➡p.24

バターケーキのなぜ

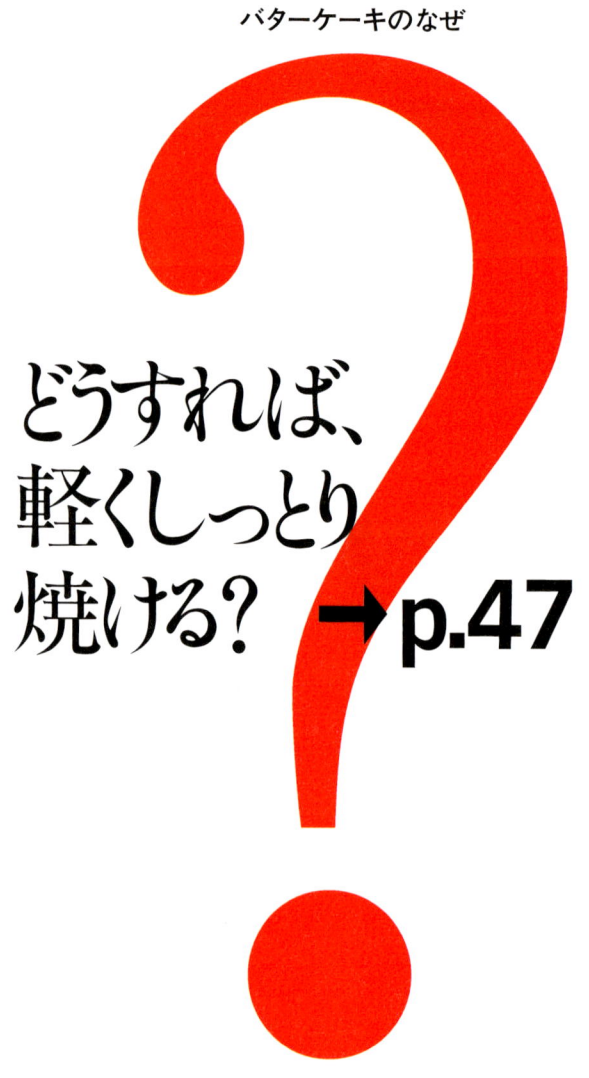

どうすれば、
軽くしっとり
焼ける？ ➡p.47

バターがなかなかやわらかくならないときは？ ➡p.50

バターをクリーム状にするって、どの程度？ ➡p.50

焼上りの目安がわからない！ ➡p.50

卵を混ぜると分離してしまう！ ➡p.52

フルーツケーキを軽く仕上げるには？ ➡p.54

マーブル模様に焼くときはどうするの？ ➡p.55

材料は?

ごく普通に求められる薄力粉、砂糖、無塩バター、卵があれば、お菓子作りは始められます。大事なことは新鮮であること。保存のしかたに気をつけましょう。

●砂糖は
グラニュー糖がいい?（←p.2）

砂糖はグラニュー糖でも上白糖でもかまいません。そういう意味で、この本では砂糖と表記しました。ただ、私は、上白糖に比べて味がくどくないグラニュー糖をほとんど使っています。上白糖で作ると、グラニュー糖に比べ、ややしっとりとして色づきがよくなります。

素朴な甘さがほしいときは、きび砂糖やフランスのカソナードを使います。

＊砂糖はとてもしけやすいので、かたまりがあるときは必ず網を通して使います。粉砂糖は特にだまになりやすいので注意。

●洋酒類

レシピ中で特に指定がない場合は、好みのものを使ってください。一般的にブランデー、キルシュ、コワントロー、グラン・マルニエなどはどんなお菓子にも合うので、いずれか用意しておくと重宝します。ラム酒はくせがあるので、味の調和を考えて使いましょう。フルーツを使ったお菓子には、洋梨ならばポワール・ウイリアム、りんごはカルバドス、いちごや木いちごにはクレーム・ド・フランボワーズなど、そのフルーツの洋酒を使うと効果的です。

●力のある薄力粉を

小麦粉はたんぱく質の量で、強力、中力、薄力粉と大きく分けられます。日本の粉はヨーロッパの粉に比べてとても銘柄が多く、わかりにくいのが現状です。

いろいろ迷うかもしれませんが、ごく一般的に求めやすい薄力粉（商品名〝フラワー〟または〝ハート〟）がいいのです。程よくこしもうまみもあります。逆に〝超〟とか〝特選〟などと名前についた超薄力粉でスポンジケーキを作ると、とてもふわふわに仕上がりますが、粉のうまみを感じません。

＊500g～1kg単位で求め、封を切ったらきっちりと密閉し、しけないように保存すること。冷蔵庫に入れておくと、外に出したときに結露して湿りやすくなるのでやめましょう。

●卵は新鮮で良質なものを

卵を目方で表わすと家庭の場合は計量が大変なので、この本では個数で表記しました。基本的に、1個当り殻つきで65g前後のLサイズを使っています。

●お菓子作りのバターは
無塩バターが原則

価格も安く、作業しやすいマーガリンを使いたくなるかもしれませんが、でき上がったときの風味や口どけのよさでやはりバターが勝ります。お菓子作りでは、塩味の影響のない食塩不使用のものを使うのが原則。この本では無塩バターと表記しました。手に入れば、風味のいい発酵バターを使うといっそうおいしくできます。

＊変質しやすいので、余分に購入したときは密閉して冷凍し、使用する前に冷蔵庫に移し、必要なかたさに調節します。

●口当りはバターに関係がある?

材料の中でもバターの役割はとても大きく、バターがあるのとないのとで口当りが変わります。これはなぜでしょう?

粉は水分と結びつくと粘りが出てきます。これが、粉に含まれているたんぱく質のいわゆるグルテンです。実は、バター（油脂）にはこのグルテンの結びつきを分断する働き（ショートニング性という）があり、その結果、バターが多いほどほろっとした口当りになるわけです。

たとえば、ビスケットは油脂が少ないのと多いのとでは口当りが違います。パンも油脂を使わないフランスパンは簡単にちぎれないくらい強い食感ですが、大量にバターを使うブリオッシュはやわらかくてほろっとほぐれるようでしょう。

この本で紹介している同じスポンジケーキでも、15ページのバターを使ったジェノワーズと38ページのバターを使わないロールケーキ生地を比べてみると、その違いがよくわかるはずです。

道具や型は？

● お菓子の道具をそろえるとき、ついプロ用のものに目がいくかと思いますが、プロ用のものには不向きなものもあります。中には家庭用には不向きなものもあります。道具や型もブランドにこだわらず、数は少なくてもいいので、自分の手に合ったしっかりとしたものを選びましょう。

● 必ず用意していただきたいのは、ステンレスのボウルと丈夫な泡立て器、パワーのある電動ハンドミキサー、それに細かい霧の出る霧吹きです。その中でもいちばん気をつけて選んでいただきたいのが、泡立て器です。手軽に購入できるために、案外しっかりしたものを持っていない方が多いようです。それぞれの注意点を説明します。

● 型はまず3種類

＊スポンジケーキ用にマンケ型
上広がりの浅いマンケ型は深いスポンジケーキ型に比べて火の回りもよく、表面もきれいに焼けます。そのうえ、焼いた後で生地が多少縮んでも目立たず、形をきれいに保てます。

＊バターケーキ用にパウンド型
基本的に18×9cmのパウンド型を使います。中心が抜けているクグロフ型で作ることもあります。

＊タルト用に底抜けのタルト型
型から出すときに逆さにできないものは、底の抜ける型を使うと便利。タルト型は直径20cmが基本の大きさです。小型のタルトレット型は、好きな大きさや形を用意しましょう。

● ハンドミキサーって、絶対必要？（←p.2）

ハンドミキサーは必ず用意してください。スタンド式の電動ミキサーもありますが、家庭用としては求めやすいハンドミキサーでかまいません。ただ、手ごろな製品によってはパワーのないものもあるので、同じ購入するならば、パン生地もこねられるくらいパワーのある、しっかりしたものを選びましょう。

● へらはシリコン製ゴムべらとカードを

そろえるのならば、シリコン製のゴムべらとプラスチックカードをすすめます。柄と一体型のシリコン製ゴムべらは、高温にも油にも強く、通常のゴムべらよりもしっかりしていてとても便利です。プラスチックカードは、かたい生地を混ぜたり、ボウルから生地をこそげ取るときや表面をならすときに重宝します。木べらは、主にジャムやカラメルなどを煮るときに使うので、柄の長いものを選びます。

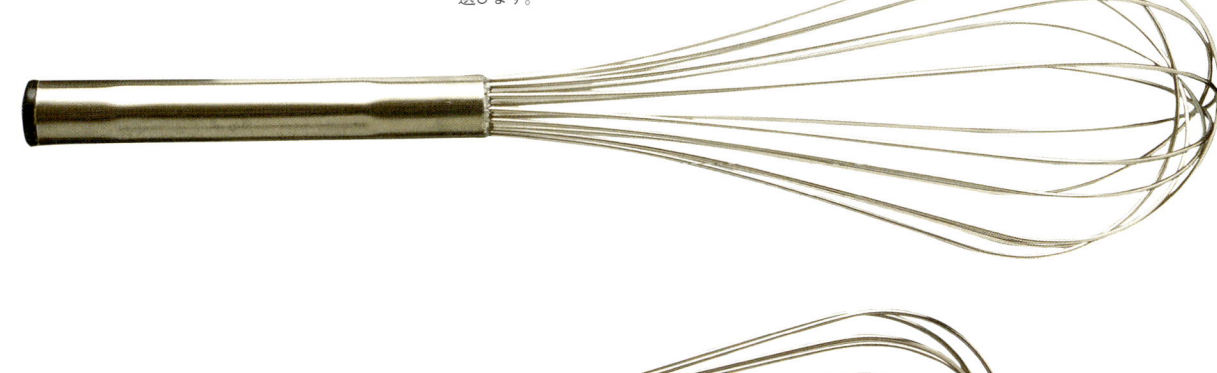

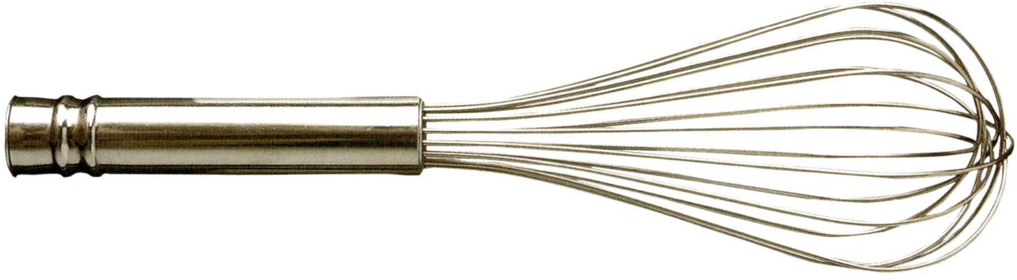

● 泡立て器は2種類

実際に自分の手で持ってみて、使いこなせる大きさかどうかを基準に選んでください。泡立て用として針金の多いものもありますが、握りが太すぎるものが多く、針金の間が狭すぎるため、粉などはかえって混ぜにくいです。
おすすめは写真の2本。長いほう（約30cm丈）は弾力があり、卵の泡立てからメレンゲ作りまでいろいろに使えます。短いほう（約24cm丈）はしっかりしているので、クリームを煮るときなどに使います。

● 霧吹きも必要

この本ではタルト類以外は、焼く前に生地に霧を吹きます。細かい霧が出るものをご用意ください。

● ふるいは小型を

ボウルに材料をふるい入れることが多いので、ボウルよりも大きくない、小型のものを。目の細かいストレーナー（万能こし器）でもかまいません。

● ボウルは浅型のステンレス製を

深型のものはハンドミキサーを使うときに縁がぶつかるので、ごく普通の浅型のステンレス製を用意しましょう。よく使うのは直径21cmと24cmで、このほかに15cm、18cmのものもあると便利です。

作る前にしておくことは？

1. まず材料の用意から

材料の温度は重要な要素の一つです。スポンジケーキを作るときは、冷蔵庫から出したての卵では泡立ちが悪く、仕上りに影響します。バターケーキのときのバターも冷蔵庫から出したばかりでは、すぐにやわらかくなりません。作ろうと思った時点で、まず材料の準備を適切に始めましょう。

●粉はふるってから計量を

粉はふるって使いますが、ふるうのは空気を含ませるためではありません。粉をよくほぐし、混ざりやすくするのが目的です。私は、粉はふるってから計量し、生地に加えるときに再びふるいを通してほぐしながら加えます。

●材料は1gまで正確にはからないとだめ？（←p.2）

材料を正確に計量するのは当然ですが、1g、2gまでこだわらなくていいです。はかった後の扱いが粗雑になれば意味がありませんし、同じサイズの卵でも物によっては、卵白と卵黄の重さに違いがあることに気づいてください。

●砂糖やバターを減らして作ってもいい？（←p.2）

お菓子を構成している、卵、砂糖、バター、粉の分量はそれぞれの特性が生きるように組み合わされています。バターと口当りの関係は10ページでお話しましたが、砂糖にしても、甘みだけのためではなく、ボリュームが出たり、焼き色がついたり、しっとりした口当りを作りだすもとにもなっているのです。おいしい味を作るには、配合のバランスがとても大事なのです。
この本で紹介するお菓子の配合は、どれも口当りのよさを重視した、適正なバランスのものばかりです。配合は変えずに、まずその味をよく知ってください。カロリーだけを気にして砂糖やバターを減らすと、おいしさに大きく影響します。

2. 次に型の準備を

マンケ型で焼くスポンジケーキとパウンド型のバターケーキとでは、準備の方法が違います。基本的に、逆さにして出しやすいものはスポンジケーキと同じようにバターをぬって強力粉をふります。タルト型は生地によって、準備のしかたが違うので66ページを参照してください。

3. オーブンの予熱は頃合いを見計らって

ここまで準備したら、あとはレシピに従って作ります。この本では、作り方に準備としてオーブンの設定温度を記しましたが、オーブンは機種によって温まるまでの時間が違います。生地ができて、オーブンに入れるときにはちょうどいい温度になっているように、作業の頃合いを見計らって温めておきましょう。

●本のとおりの温度で焼いたのに、うまく焼けないのは？（←p.2）

表示の温度と焼上りの時間は、実際の皆さんのオーブンと多少ずれがあるかもしれません。判断の目安としていちばんいい方法は、スポンジケーキを実際に焼いてみて、いちばんいい焼きかげんの温度を基準にしてください。バターケーキはスポンジケーキよりも低めにします。タルト用生地のパート・シュクレはスポンジケーキと同じ、パート・ブリゼはそれよりも高め、フイユタージュ・ラピッドはもっと高めと判断してください。
このように、実際に焼きながら自分のオーブンのくせをつかんで調節してください。また、焼きかげんを調節するために、ぜひ付属の天板を余分に購入しておきましょう。

●スポンジケーキの型の準備

側面にクリーム状にしたバター（とかしバターではない）を筆や刷毛でぬって、いったん冷蔵庫で冷やしてから、強力粉をふります。冷やすのは、バターがやわらかい状態で粉をふると余分についてしまい、焼上りがきれいでないため。なお、このバターと粉は分量に含まれません。底には一回り小さく切った紙を敷きます。ぴったりと敷くよりも、多少、型と紙の間にすきまがあるくらいのほうが出しやすいからです。側面に紙を敷かないのは、紙が生地を引きつけてしまい、きれいに焼き上がらないため。

●パウンド型には紙を敷いて

パウンド型は細長く、高さもあるので逆さにして出すとこわれやすいため、そのまま紙ごと出せるように全体に紙を敷き込みます。
まず、敷き込んだときに型から1cmぐらいはみ出るような大きさの紙を用意します。紙の中心に型をおき、いったん底の大きさに合わせて折り、角にそって切込みを入れ、敷き込みます。

●紙は何がいい？

脂を程よく吸い込むのでわら半紙が最適です。わら半紙はロールケーキ生地を焼くときにも使いやすいので、用意しておくといいでしょう。このほか、オーブンシートや樹脂加工したシートもあると、天板にバターをぬらずにすむのでとても便利です。

基本の生地1
スポンジ生地は？

卵の起泡性を生かして作ります。
第一条件はよく泡立てること！

スポンジケーキは卵を泡立てて作るからこそ、ふんわりと軽いスポンジのような風合いになるのです。

作るうえでの第一条件は"卵をよく泡立てること"です。特別な膨張剤や乳化剤など添加物は必要ありません。口当りのいいスポンジケーキに仕上げるためには、適正な"バランスのいい配合"で作ることも大事です。

●基本の配合は、卵1個（殻ごとで65g）に砂糖30g、粉30g、バター10〜20gと覚えてください。直径20〜22cmの型なら、この3倍量用意します。

●作り方には、全卵を泡立てる"共立て法（ジェノワーズ）"と、卵黄と卵白を別別に泡立てる"別立て法（ビスキュイ）"があります。共立て法はしっとりしてふわっとした口当りに仕上がります。基本のスポンジケーキは共立て法で覚えましょう。別立て法は卵白をメレンゲにして加えるため、しっかりと丈夫に焼き上がるので、ごく薄くスライスして、クリームをはさんで重ねるお菓子などに向いています。また、22ページのように生地にとかしたチョコレートやバナナのピューレーを加える場合も別立て法で作ります。

まず、次のページからのプロセスの指示に従って作ってみましょう。

今までの方法と違う工程や疑問が起きたら、18ページの解説を読んでください。それで納得されたら、もう一度作ってみてください。きっと疑問が解決され、よりうまく作れるようになるでしょう。

スポンジケーキの基本、共立て法ジェノワーズを作りましょう。

材料（直径20〜22cmのマンケ型1台分）
卵　3個
砂糖　90g
水（またはシロップ）　大さじ1
薄力粉　90g
無塩バター　30g
＊シロップは32ページ参照。
＊バターは慣れてきたら60gまで増やしていい。

◆準備
・型の準備をする（p.13参照）。
・オーブンは180℃に設定。

湯せんにかけて泡立てる

1 ボウルに卵を入れ、ハンドミキサーの低速でときほぐしてから、40℃ぐらいの湯を張った鍋にのせ、最高速で泡立てる。鍋は火にかけておき、湯の温度が徐々に上がるようにする。

2 軽く泡立ったら、3回に分けて砂糖を加え、湯せんのままさらに泡立てる。

泡立て器の中で生地がこもるまで泡立てる

3 卵液が40℃、湯の温度は60℃ぐらいで湯せんからはずし、冷めるまでハンドミキサーで泡立て続ける（冷めにくければ、写真のようにボウルの底を水に当てる）。この間にバターをとかし、そのまま湯せんの鍋に浮かして保温しておく。

●ジェノワーズとビスキュイはどう違う？

どちらもスポンジケーキのことで、フランス菓子の大きな体系のビスキュイというグループを製法で分けた呼び名です。全卵共立て法で作るものをジェノワーズ、別立て法をビスキュイと呼びます。

●バターの分量に幅があるのは？

初心者は少なめからスタートし、慣れてきたら好みに合わせて増やしていくといいでしょう。実はバターは多く加えたからといって重い生地にはなりません。多少ふわふわとした軽さは抑えられますが、ある程度多く加えたほうが、しっとりし、軽くてもろい口当りに仕上がります。

4 これが、理想的な泡立ての状態。泡立て器を持ち上げたときに、泡がこもって落ちにくい状態になるまで泡立てること。

水を加える

5 水（またはシロップ）を加えて、泡立て器で全体に混ぜる。

10 ボウルの縁に残った生地は、ゴムべらですべて取って、火の通りのいい型のまわりに入れる。決して、中央に入れないこと。
＊混ざっていないバターがあったら、生地の上のほうにおくこと。型の底に入ると、その部分だけしまって重くなってしまう。

粉をよく合わせる

6 粉はふるいを通し、まず半量入れる。泡立て器をボウルの向う側から底を通って手前に動かして、高く生地を持ち上げ、生地をふり落とす。同時にその都度、もう一方の手でボウルを回転させて、泡と粉を泡立て器の針金の間を通しながら合わせていく。

霧を吹いて焼く

11 霧吹きで表面に細かい霧をたっぷり吹き、180℃に温めておいたオーブンに入れる。様子を見ながら25〜30分で焼き上げる。

7 続けて残りの粉を加えて、同じように泡立て器で合わせ、粉が見えなくなるまで繰り返す。充分泡立ててあれば、粉を加え混ぜてもまだふわっとしているはず。

型のままトンと落す

12 しぼむのを抑えるために、台の上30〜40cmのところからトンと落とし、ショックを与える。

温かいバターを入れる

8 保温しておいた、熱いくらいのとかしバターを大さじ1ぐらいずつ表面に散らし入れる。泡立て器で生地をすくってバターの上に広く落としながら、バターを生地の間にはさむようにし、全部加える。このとき、バターの筋が多く残って見えるくらいまで混ぜる。混ぜすぎてはだめ。

型からはずす

13 焼上り表面に網を当てて逆さにし、型をはずす。再びひっくり返して表面を上にし、室温で冷ます。
＊型から出したままの状態（表面が下になった状態）にしておくと、べたついてしまう。これを防ぐために、型からはずしたら、もう一度ひっくり返して、焼上りの表面が上になるようにしておく。

型に入れる

9 最後にゴムべらで全体を合わせて、ボウルの底に混ぜ残りがないかを確認してから、用意した型に一気にへらでかいて流し入れる。

「なぜ？」の理由を説明しましょう。

ジェノワーズはうまく焼き上がりましたか？ 見た目はどうでしょう。オーブンの中ではふくらんでいたのに、しぼんだり、表面がへこんでいたり、側面がくびれていたら、失敗です。肝心の口当りがきめが粗くてざらついていたら、やはり失敗。逆に、焼上りに大きな気泡ができるのは自然のこと。また、以前に焼いたときよりもかさが低くても、口当りがよければいいのです。ここでは次回に失敗しないための、大事な「なぜ？」を説明しましょう。

● **泡立ては湯せんでないとだめ？**

卵の起泡性は主に卵白にあり、卵白だけの場合は湯せんにかけなくても泡立ちますが、全卵の場合はそのままでは充分泡立ちません。全卵共立て法では、必ず湯せんにかけて泡立てます。
湯せんの鍋は、ボウルの底全体に湯が当たる大きさのものを用意してください。温度を上げながら泡立てると、とてもよく泡立ち、熱をつけることで砂糖もよく溶け、泡がしっかりし、後で粉やバターを加えてもつぶれにくくなります。
卵も冷蔵庫から出したてのものでは泡立ちが悪く、仕上りに影響します。必ず室温に戻した卵を使います。
パワーのあるハンドミキサーを用い、ボウルの中で1か所だけに固定せず、ボウルもミキサーも動かしながら泡立てます。

● **どのくらいまで泡立てればいい？**

泡立ての説明ではよく「もったりするまで」とか「リボン状にたれるまで」といいますが、それでは足りません。湯せんの鍋から下ろす段階でリボン状にたれるまで泡立て、その後、さらに冷ましながら「泡立て器の中で生地が一瞬こもるくらい」まで泡立てます。
泡立てが完了したときに、泡が冷めていることも重要です。温かい状態で粉を入れると粘りが出すぎてしまいます。冷めにくい場合は、水を当てて冷やします。

●とかしバターは熱いまま!?

バターは冷まさずに、熱いくらいのさらさらしているほうが、生地に抵抗なく入るからです。冷めていると流動性がないため、生地の上に広がらず、沈んでしまいます。バターをとかしたら、湯せんの鍋に浮かして、そのまま保温しておきましょう。

●表面はならさず、霧を吹く？

大きい気泡を消して表面をならすために、焼く前にトントンと型を台に打ちつける方法がありますが、この方法では大きな気泡とともに、必要な細かい気泡も消えてしまいます。大きな気泡があっても味には関係ありません。気にしないように。霧を吹いて湿りけを与えるのが、私の方法です。カードなどでならさなくてもこれで表面もきれいに平らになり、しっとりと焼き上がります。

●焼上りの目安は？

表面をてのひらで軽く押さえて、少し弾力があれば焼上り。シュッと音がしてへこむようならば、焼きが足りない証拠。オーブンによって焼きむらができるときは、型を移動して位置を変えます。下火が強い場合は天板を重ねるなど、時々、様子を見ながら焼くこと。

●オーブンから出したら、しぼんじゃった！

軽い生地のスポンジケーキは、焼き上がるとどうしてもしぼむ傾向があります。
これを防ぐために、オーブンから出したらすぐ、30〜40cmの高さから型ごと台の上に落とします。乱暴なようですが、ショックを与えることによってケーキ内の熱い空気と外気が瞬間に入れ替わり、結果として冷めるのが早まり、しぼむのを抑える効果があるのです。この後、型に入れたままではしぼんでしまうので、すぐに取り出してください。

●粉を加える前に水を入れる!?

しっかり泡立った生地にそのまま粉を加えても合わせにくいもの。ここに水分を少し加えると泡に流動性ができ、とても混ざりやすくなるうえ、焼上りもしっとりします。私は、常備している仕上げ用シロップを入れますが、水でもかまいません。

●粉は泡立て器で混ぜる!?

泡立てた状態に水分を加えて流動性ができたところで、粉を2回ぐらいに分けてふるい入れますが、道具は替えません。泡立て器のままです。へらよりも泡立て器の針金の間を通すほうが、早く合わせられるからです。

●粉がうまく混ざらない！

一般に「合わせすぎると重いケーキになる」とか「さっくり合わせる」といわれているため、慎重になりすぎて合せ方が足りない人が多いようです。合わせ足りないと、きめが粗くざらついた口当りになり、粉がだまになっている場合もあります。粉のグルテン（粘り）は適度に出しつつ、均一によく合わせたいもの。とはいえ、泡立て器をぐるぐる回転させてむやみに混ぜるのでは重くなってしまいます。
泡立て器のグリップを軽く握って、生地を底から高くすくい上げ、泡と粉を針金を通しながらふり落とします。同時に、もう一方の手でボウルをゆっくり回転させて位置を移動させます。この動作を繰り返し、はじめの粉が見えなくなったら、残りの粉を入れ、同じように合わせます。決してあわてたり乱暴にしないこと。手際よく、しかも丁寧に合わせましょう。

スポンジ生地に別素材をプラスするときは？
アーモンドパウダーやココアを加えるとき

1 15ページの共立て法ジェノワーズの手順①〜⑦を参照し、粉を入れてよく合わせて生地を作る（粉は一度に入れる）。バターは湯せんでとかして保温しておく。

2 ①にアーモンドパウダーを一度に加え、よく合わせる（写真A〜B）。あまり混ぜすぎないように気をつける。

3 保温しておいたバターを加え、混ぜ合わせる。最後にゴムべらで底から大きくかき合わせ、用意した型に流し入れ、霧を吹いて180℃のオーブンで25分ぐらい焼く。
焼けたら、トンと落としてショックを与え、型からはずす。表面を上にして、網の上で冷ます（17ページ、ジェノワーズの手順⑧〜⑬参照）。

アーモンドパウダー入りジェノワーズ

材料（直径20〜22cmのマンケ型1台分）
卵　3個
砂糖　90g
水（またはシロップ）　大さじ1
薄力粉　60g
アーモンドパウダー　60g
無塩バター　40g

◆準備
・型の準備をする（p.13参照）。
・アーモンドパウダーはふるっておく。
・オーブンは180℃に設定。

●**アーモンドパウダーは粉の後に**
アーモンドパウダーには油脂が含まれているため、粉と一緒に混ぜると泡がつぶれやすくなるので、先に粉を合わせてしまってから加えます。アーモンドパウダーが入るので、粉の量は基本の90gよりも減らした配合です。

1 ココアは目の細かい茶こしかストレーナーでふるって、粉とよく混ぜ合わせておく（写真**A**）。

2 15ページの共立て法ジェノワーズの手順①〜⑤を参照し、粉を入れる前まで生地を作る。バターは湯せんでとかして保温しておく。

3 ①のココア入りの粉をふるいを通して2回に分けて加え、泡立て器で底から上に高く持ち上げ、針金の間を通しながら混ぜ合わせる（**B**〜**C**）。粉が見えなくなるくらいで混ぜるのをやめる。

4 保温しておいたバターを加え、混ぜ合わせる（**D**）。最後にゴムべらで底から大きくかき合わせ、用意した型に流し入れ、霧を吹いて180℃のオーブンで25分ぐらい焼く。焼けたらトンと落としてショックを与え、型からはずす。表面を上にして網の上で冷ます（17ページ、ジェノワーズの手順⑧〜⑬参照）。

ココア入りジェノワーズ

材料（直径20〜22cmのマンケ型1台分）
卵　3個
砂糖　90g
水（またはシロップ）　大さじ1
薄力粉　75g
ココアパウダー　15g
無塩バター　40g

◆準備
・型の準備をする（p.13参照）。
・オーブンは180℃に設定。

●ココアは粉と一緒に

ココアだけでは混ざりにくいので、粉と合わせて加えます。注意しなければいけないのは、ココアは脂肪分が多いため、混ぜすぎると泡が消えてしまうということ。目安は、ココア入りの粉が見えなくなるくらいでやめます。ここでは基本の粉90gの1/6をココアにした配合です。

とかしたチョコレートやバナナのピューレーを加えるとき

とかしたチョコレートやバナナのピューレーのように濃度のあるものを生地に加えるときは、卵黄と卵白を別々に泡立てる別立て法ビスキュイの方法で作ります。卵白はメレンゲにして加えるので、24ページを参照し、しっかりかたく泡立てましょう。

チョコレート入りビスキュイ

材料（直径20〜22cmのマンケ型1台分）
チョコレート　60g
無塩バター　30g
卵黄　3個分
砂糖　45g
｛卵白　3個分
｛砂糖　45g
コーンスターチ　30g
薄力粉　60g

◆準備
・型の準備をする（p.13参照）。
・オーブンは180℃に設定。

●チョコレートはバターと一緒に

チョコレートだけをとかした状態では、濃度があって混ざりにくいものです。そこで、バターと一緒にとかして流動性を持たせ、生地に入りやすくします。チョコレートはこの配合くらい入れないとおいしさが出ません。

ただ、チョコレートが入るとつまった生地になりやすいので、小麦粉を減らし、その分は粘りの少ないコーンスターチに替えます。コーンスターチは粉と一緒ではなく、メレンゲに混ぜて加えます。

1 チョコレートは粗く刻み、バターと一緒に小さなボウルに入れ、湯せんにかけてとかす。
2 別のボウルに卵黄と砂糖を入れて、白っぽくぽってりするまでかき混ぜる。
3 卵白に砂糖を3〜4回に分けて加え、しっかりとかたいメレンゲを作る（p.24参照）。ここにコーンスターチを加え、混ぜ合わせる。
4 ②に③のメレンゲの⅓量を加え、よく合わせる（写真**A**）。
5 粉をふるいを通して一度に加え、ゴムべらで混ぜ合わせる。この生地は流動性がないので切るように混ぜる（**B**）。
6 ⑤に①の温かいチョコレートを加え、泡立て器で合わせる（**C**）。

7 残りのメレンゲを加え、メレンゲが見えなくなるまでよく合わせる（**D**）。最後にゴムべらで底から大きくかき合わせ、用意した型に流し入れ、霧を吹いて180℃のオーブンで25分ぐらい焼く。
焼けたらトンと落としてショックを与え、型からはずし、表面を上にして網の上で冷ます（17ページ、ジェノワーズの手順⑨〜⑬参照）。

＊細かく刻んだチョコレートをそのまま加える場合は、共立て法で生地を作り、粉を加えた後でチョコレートを加えて混ぜ合わせ、バターを加えて焼く。

1 バナナと砂糖と塩を合わせてフードプロセッサーでピューレー状にし、卵黄と合わせて混ぜる（**B**）。
2 卵白に砂糖を3〜4回に分けて加え、しっかりしたメレンゲを作り（p.24参照）、はじめに1/3量を①に加え混ぜる（**C**）。
3 ②に粉類をふるいを通して一度に加え、泡立て器でよく合わせる。続けて保温しておいたとかしバターを加え、混ぜ合わせる。
4 残りのメレンゲを加え、均一に混ぜ合わせる。ゴムべらで全体をかき合わせて用意した型に流し入れ、霧を吹いて180℃のオーブンで25分ぐらい焼く。
焼けたらトンと落としてショックを与え、型からはずし、表面を上にして網の上で冷ます（17ページ、ジェノワーズの手順⑨〜⑬参照）。
5 完全に冷めたら、上下にスライスする（**D**）。写真のように切りたい高さの器など（これはマンケ型）におさめてナイフを縁に当てて動かすと、平らに切れる。切り口にはシロップをぬる。
6 生クリームにメープルシロップを加え、ボウルの底を氷水で冷やしながら絞れるくらいに泡立てる（p.32参照）。星形口金をつけた絞出し袋に入れて下側のケーキに絞り出し、上を重ねてはさむ（**E**）。

● **バナナはピューレーにして**
生地は別立て法で作り、バナナのピューレーは、卵黄に先に合わせておきます。ここでは型にスライスアーモンドをはりつけて上面に表情をつけて焼き、間にメープルシロップで風味をつけた生クリームをはさみました。

バナナのビスキュイ

材料（直径約18cmのリング型1台分）
バナナ（皮をむいて筋を除く）　80g
砂糖　40g
塩　ひとつまみ
卵黄　2個分
｛ 卵白　2個分
｛ 砂糖　40g
薄力粉、コーンスターチ、アーモンドパウダー　各30g
無塩バター　30g
型用スライスアーモンド　適宜
｛ 生クリーム　100mℓ
｛ メープルシロップ　20mℓ
仕上げ用リキュール入りシロップ　適宜

◆準備
・型にバター（分量外）をぬり、冷やしてから、強力粉（分量外）をふり、底にスライスアーモンドを散らす（写真**A**）。
・薄力粉、コーンスターチ、アーモンドパウダーは合わせてふるっておく。
・バターは湯せんでとかし、保温しておく。
・オーブンは180℃に設定。

しっかりした
メレンゲを作るには？

メレンゲは別立てのスポンジケーキやバターケーキなど、いろいろなレシピに登場しますから、きちんとマスターしておき、いつでも失敗なく作れるようになりましょう。

しっかりしたメレンゲ作りの成功の秘訣は、砂糖を加えるタイミングをいかに見極めるかです。レシピどおりの回数にただ従うのではなく、実際にメレンゲの状態をよく観察してください。卵白に対して砂糖が多く入るものほど、少しずつ加えます。一度に大量に加えるとシロップ化して、泡立ちをゆるめてしまいます。少しずつ適切なタイミングに加えると、泡立ちをしっかりと安定させる働きをします。

● 道具はハンドミキサーを用意してください。泡立て器よりも機械のほうが、はるかに楽によく泡立ちます。

● ボウルなどの道具類に油脂や水分、汚れがついていると泡立ちの妨げになるので、必ず使用前にチェックしてください。

また、メレンゲの泡立ちは温度にも影響されます。卵白の温度が高いと泡立ちは早いのですが、きめの粗い、不安定な仕上りになります。逆に温度が低いと、泡立ちは遅いのですが、きめの細かい安定したメレンゲが作れます。日をおいた古い卵白がメレンゲに向くともいわれていま

すが、現代の食品事情から考えると、私はあまりおすすめしません。

これが、いい仕上りのメレンゲ。泡立て器を持ち上げたとき、角がぴんと立っている。

材料
卵白　3個分
砂糖　45g
＊砂糖の量、種類はお菓子によって異なる。ここではグラニュー糖を使用。

1 ボウルに卵白を入れて、はじめはハンドミキサーの低速で泡立てる。

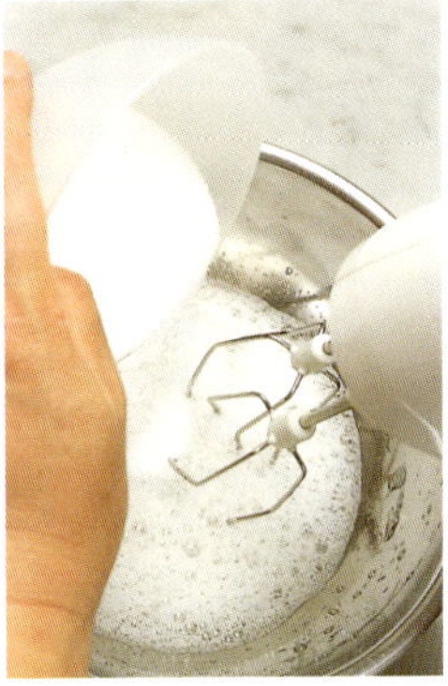

2 液状の部分がなく、全体に軽くほぐれるくらいに泡立てたら、砂糖を1/3～1/4量入れて、高速で泡立てる。

3 ぴんと角が立つまで泡立てる。

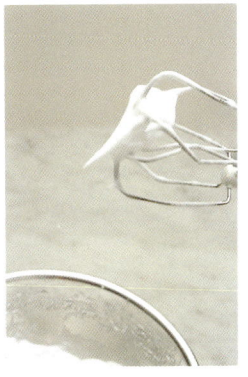

4 ③の状態を確認してから、次の砂糖を同じくらい加える。

5 同様に高速で泡立てる。砂糖を加えると一瞬ゆるむが、泡立て続けるとしっかりしてきて、再び③のようにぴんと泡立つ。この状態を見極めて、さらに次の砂糖を加えていく。

6 砂糖が全量入るまで繰り返して、右ページの写真のようにしっかりしたメレンゲを作る。

●砂糖を加えるタイミングは？

最初に入れるのは、卵白を軽くほぐれるくらいに泡立ててから。ここで泡立てすぎてはだめです。ハンドミキサーは低速で。砂糖を少量（この配合ならば1/3～1/4量）加えたら、今度は高速で泡立てます。
次に入れるのは、メレンゲの先がぴんと立ってからです。砂糖を入れた後は一瞬ゆるむはず。でも、泡立て続けると泡が安定してきて、再びぴんとしてきます。これがさらに次の砂糖を加えるタイミングです。あとは指示された回数を目安に〝入れどき〟を見極めてください。

デコレーションのクリームは？

スポンジケーキをデコレーションするためのクリームとして、生クリームで作るおなじみのクレーム・シャンティイのほかに、バターで作る軽いクレーム・オ・ブール（バタークリーム）、チョコレートのガナッシュ、ケーキ全体をチョコレートでコーティングするパータ・グラッセ、カスタードクリームで作るクレーム・ムスリーヌを紹介します。また、38ページのロールケーキではディプロマットクリームも紹介していますので、あわせて参考にしてください。

●デコレーションの道具として、できれば回転台を用意しましょう。クリームを均一にきれいにぬることができます。

●スポンジケーキにはあらかじめシロップやジャムをぬります。これは味わいの意味もありますが、クリームをぬりやすくするためです。

●香りづけには、人工的な香りの強いエッセンスよりも、好みのリキュールを入れます。ジャムは何にでも合いやすいあんずジャムがおすすめ。のびが悪いときは裏ごしして使います。

クレーム・シャンティイ ➜ p.32

クレーム・オ・ブール ➜ p.34

クレーム・ムスリーヌ ➜ p.35

ガナッシュ → p.36

パータ・グラッセ ➜ p.37

生クリームで
クレーム・シャンティイ

ショートケーキなどでおなじみのクリームですが、きれいに仕上げるのは案外難しいものです。
生クリームは箱を揺するだけで泡立ってと同じ状態になってしまうほどデリケートなクリームです。

●泡立てるときは、クリーム全体が冷えるようにボウルを氷水に当てて、柄の短いしっかりした泡立て器を使います。また、全部一緒に泡立てるのではなく、絞出し用とそれぞれ別々に、使う直前に泡立てます。ちょうどよく泡立てたつもりでも、ぬったり絞ったりするだけでざらついてしまうのは、こうした作業も泡立てと同じだからです。

●クリームをざらつかせないためには、指示された泡立ての状態よりもちょっと控えめくらいでとどめ、デコレーションを仕上げたときにちょうどよくなるようにすること、パレットナイフで何度もこすらないこと、これがこつです。

●ぬるときは上面を平らにきれいに仕上げるため、ケーキの底側を上にします。

材料（直径20～22cmの
スポンジケーキ1台の表面にぬる場合）
生クリーム　120ml
砂糖　小さじ2～3
好みのリキュール　大さじ1
仕上げ用リキュール入りシロップ　適宜
＊シロップは砂糖1、水2の割合で
煮溶かして冷まし、好みのリキュールを
加えて作る。
＊クリームの分量は、
間にフルーツをはさむとき＝120～150ml、
縁飾り分＝80～100ml。

◆準備
・氷水を入れたボウルと、このボウルにぴったりつかるくらいのボウルを用意する。

●生クリームはどれがいい?
容器の成分表示に「クリーム」と表示されているものを使ってください。植物性のものや添加物が入ったものは、泡立ての扱いや保存は楽ですが、風味が全く違います。乳脂肪45％ぐらいのものを使いましょう。買ったら保冷剤で冷やして持ち帰り、使う直前まで冷たくしておきます。

●絞る場合

泡立て器を持ち上げたときに、やわらかい角が立つくらい。

●表面全体にぬる場合

かなりゆるめで、このように少し流れるくらいでいい。

クリームをぬる

4 回転台にスポンジケーキを底側を上にしてのせ、表面全体にシロップをぬり、中央にクリームを全部のせる。

生クリームを泡立てる

1 ボウルに生クリーム、砂糖、リキュールを入れ、氷水にボウルがしっかりつかるように重ねる。底だけではなく、全体がきちんと冷える状態にする。

5 パレットナイフを斜めに当てたまま（手前を30度ぐらい上げる）、回転台をゆっくり回しながら上面をぬる。あまり何度もパレットナイフを動かすと、クリームがざらつくので、なるべくぐるっと一回転させてぬる。

2 はじめは泡立て器を円を描くように早く動かす。

6 まわりに流れ落ちた分で側面をぬる。上面と同様に30度の角度に当てて、ナイフではなく、回転台を動かして一回転でぬり上げること。

3 とろみがついてきたら、様子を見ながらゆっくりと動かし、目的に合ったやわらかさに仕上げる。

7 底側の余分なクリームを取るために、台とケーキの間にパレットナイフを浅く差し入れ、ゆっくりと台を回す。これでクリームと台の間も離れる。

バターで クレーム・オ・ブール

バターのクリームというと、くどいイメージがあるかもしれませんが、メレンゲを加えて作る軽い口当りのものを紹介しましょう。

生クリームと違って、とても安定していて扱いやすく、細かいデコレーションもできます。また、ガナッシュや濃く溶いたインスタントコーヒー、プラリネ、ジャムなどの副材料を加えれば、風味づけや色づけも楽しめます。冷蔵庫で1週間ぐらいもち、冷凍も可能。

● 大事なのは、よく泡立てて空気を含ませたバター（油脂）にメレンゲ（水分）を少しずつ加え、分離させずに合わせることです。そのためにメレンゲを温めて安定させ、できるだけ冷めないうちに合わせるのがポイント。

材料（20cm角のスポンジケーキ1台分）
無塩バター　200g
｛ 卵白　70g
｛ 粉砂糖　70g
好みのリキュール　大さじ1
仕上げ用リキュール入りシロップ、
あんずジャム　各適宜

◆準備
・バターは大きなボウルに入れ、やわらかくクリーム状にかき立てておく。
・メレンゲ用に、湯せんの鍋に80℃ぐらいの湯を用意しておく。

1 ボウルに卵白を入れ、粉砂糖を5～6回に分けて加え、しっかりしたメレンゲを作る（p.24参照）。ぴんと泡立ったところで、80℃の湯にボウルを1分ほど当てながらさらに泡立て、泡を安定させる（写真**A**）。

2 クリーム状にしたバターに、メレンゲを10回ぐらいに分けて加える（**B**）。加えたらその都度、完全に混ざるまで強くかき混ぜ、混ざったところで次のメレンゲを加えていく（**C**）。

3 メレンゲが全部入ったら、最後に好みのリキュールを加えて混ぜる。

4 スポンジケーキにリキュール入りシロップを全体にぬってから、軽く温めてゆるめたジャムをぬる（**D**）。

5 中央にクリームを多めにおく（**E**）。

6 パレットナイフを使い、全体に広げてぬる（**F**）。デコレーションは、好みの口金で絞り出したり、ギザギザのカードや波刃のナイフで模様をつけてもいい。

● **バターがしまってきたら？**
室温が低いとバターがかたくしまってきて、メレンゲが混ざりにくくなります。そのときはボウルの底を少々温めて、バターをいい状態にしてから、メレンゲを加えていきます。

● **きれいにぬるには？**
クリームをスポンジケーキにそのままぬると、ケーキのくずが混ざってしまいます。これを防ぐために、ジャムをぬってからクリームをぬります。ジャムはくせのないあんずジャムを。
また、クリームはやわらかめのほうがぬりやすいので、かたいときはボウルの底を少し温めてゆるめて用います。

カスタードクリームで クレーム・ムスリーヌ

● シュークリームでおなじみのカスタードクリーム（作り方92ページ）はデコレーションには不向きですが、ここで紹介するようにバターを加えたクレーム・ムスリーヌにすると、のびのいい扱いやすいクリームになります。

フランスではいちごのお菓子といえばフレジエ。バタークリームをはさむことが多いのですが、私はクレーム・ムスリーヌで作ります。ここではたっぷりのクレーム・ムスリーヌといちごを丸ごとはさみ、上には緑色のマジパンをのせました。冷蔵庫でしっかり冷やしてから、いちごの断面が見えるように切るのが、伝統的なスタイル。クリームが常温に戻ったころ、召し上がってください。

材料（20cm角のスポンジケーキ1台分）
カスタードクリーム
- 牛乳　270ml
- バニラビーンズ　少々
- 砂糖　100g
- 薄力粉　40g
- 卵黄　4個分
- 無塩バター　30g
- 好みのリキュール　適宜

無塩バター　100g
仕上げ用リキュール入りシロップ　適宜
いちご（中）　約500g
飾り用緑のマジパン　適宜
粉砂糖　適宜

＊緑のマジパンは、緑色の着色料を混ぜて作る。本格的に作る場合は、皮つきアーモンド100gとピスタチオ30gをそれぞれ皮を湯むきして水気をふき取り、フードプロセッサーで細かく砕く。粉砂糖100gを加えて混ぜ、卵白を手でまとめられるくらい加えて仕上げる。

◆準備
・92ページを参照してカスタードクリームを作り、冷ましておく（配合は違うが作り方は同じ）。
・バターはやわらかくしておく。
・いちごは洗わずに、へたを取り、刷毛などで汚れを落としておく。

クレーム・ムスリーヌを作る

1 カスタードクリームは泡立て器でかき立ててなめらかにしておく。ここで充分なめらかにしておかないと、バターと均一に混ざらない。

2 別のボウルにやわらかくしたバターを入れ、泡立て器でかき立ててさらにクリーム状にし、①を少しずつ加え、均一に混ぜてなめらかにする（写真A〜B）。

フレジエを仕上げる

3 スポンジケーキを横2枚に切り、下側のケーキにシロップをぬり、クリームを5mm厚さにぬる。ここにいちごをクリームに沈み込ませながら、互い違いになるようすきまなく並べおく（C）。

4 上にクリームをたっぷりおき、パレットナイフを外に向かって動かして空気を抜き、いちごの間をすっかり埋める（D）。

5 切り口にシロップをぬったスポンジケーキを重ねる。表面にもシロップをぬり、残りのクリームを上にぬる。

6 緑のマジパンを粉砂糖を打ち粉代りにし、めん棒で3〜5mm厚さで、⑤のケーキよりも一回り大きくのばし、上にのせる（E）。ここでは凹凸のあるめん棒を使用したので、模様がついている。

7 冷蔵庫で2〜3時間、中心までよく冷えてから、湯に通して温めたナイフで四方をいちごが見えるように切り落として仕上げる。切り分けるのは、よく冷えてからにすること。

チョコレートでガナッシュ

チョコレートと生クリームで作るガナッシュは、ほかのクリームに混ぜたり、トリュフチョコレートのセンターにもなる、とても応用範囲の広いクリームです。
● 扱いもとても楽で、ぬっている間にざらついたりしないため、多少のぬり直しもできます。また、合わせたばかりのゆるい状態からとろみのある状態、空気を含ませた状態といろいろに表情が変わるのでデコレーションの楽しみもそれだけ広がります。ここでは少しとろみがついた状態で全体にぬり、表面にギザギザのカードで模様をつけました。
基本のガナッシュは、チョコレート2に対して生クリーム1の割合です。用途や好みによって、比率を同割まで変えられます。
チョコレートは、カカオバターを多く含むクーベルチュールを使っています。中でも私はカカオ分55％のスイートタイプを使用しています。手に入らなければ、ほかの製菓用スイートチョコレートでもかまいません。

● ガナッシュでコーティングもできる？

合わせたばかりの温かいゆるい状態ならば、パータ・グラッセのようにしっかりとはかたまりませんが、全体にかけてコーティングもできます。泡立てて空気を含ませれば、軽いクリームになり、絞り出すこともできます。ただ、空気を含ませるとつやはなくなります。扱いにくくなったら、温めて調節してください。

● 側面に飾りをつけるときは？

側面に何か飾りをつけるときは、回転台にのせたままではなく、片手で高く持ち上げてつけます。このとき、持ち上げやすいようにケーキの底に薄い台紙を当てます。下敷きを切って使うか、タルト型の底板を利用しましょう。ここではローストしたスライスアーモンドをはりました。

● 写真の飾りつけは？

ここでは上面にギザギザのついたカードを使って模様をつけました。カードを30度ぐらいの角度に当て、前後に大きく動かして横移動させることを何列か繰り返します。側面まではみ出るくらいに動かすとうまくできるでしょう。はみ出た分はパレットナイフで整えます。

材料（直径20〜22cmのスポンジケーキ1台分）
生クリーム　100ml
クーベルチュールチョコレート　150g
好みのリキュール　大さじ1〜2
仕上げ用リキュール入りシロップ　適宜

◆準備
・チョコレートは刻んでおく（あまり細かくなくていいが、粗すぎないように）。

1 ステンレスのボウルに生クリームを入れて直接弱火にかけ、底や周囲が焦げつかないように、泡立て器で混ぜながら加熱する（写真**A**）。軽く煮立ったら火から下ろす。
2 火から下ろしたボウルにチョコレートを一度に加え、生クリームに完全に浸るように泡立て器で沈める（**B**）。
3 すぐに混ぜずに、チョコレートに熱が伝わるのを待ってから、泡立て器で混ぜてなめらかにとかす（**C**）。
4 好みのリキュール（ここではコワントロー）を加え混ぜる（**D**）。とけ残りがあれば、ボウルの底をさっと遠火にかざすか、軽く湯せんに当ててとかす（**E**）。時々混ぜながら、とろみがついてぬりやすい状態になるまでおき、シロップをぬったケーキにぬる（**F**）。

チョコレートでパータ・グラッセ

クーベルチュールにサラダ油を加えて作るコーティング用のチョコレート、パータ・グラッセも紹介しましょう。

●なぜ油を加えるかですが、それはスポンジケーキのようにふわふわしたものにぬる場合、クーベルチュールをそのままとかしてかけても、扱いが難しく、食感もかたすぎて悪いからです。パータ・グラッセにすればコーティングしやすく、しかもやわらかな口当りに仕上がります。温度調節があるので少し面倒かもしれませんが、市販のパータ・グラッセ（洋生チョコレート）はおいしくないので、ぜひひトライしてみてください。

材料（直径20〜22cmのスポンジケーキ1台分）
クーベルチュールチョコレート　200g
サラダ油（くせのないもの）　チョコレートの10〜20％
下地用のクリーム（またはジャム）　適宜

◆準備
・スポンジケーキは網にのせ、ラップフィルムの中央におく。表面全体にクリームやジャムをぬってなめらかにしておく（ここでは34ページのクレーム・オ・ブールに濃く溶いたインスタントコーヒーを混ぜたものをぬった。ジャムでもいい）。

●温度調節ってしなくてはだめ？
チョコレートをとかした後で温度調節がなぜ必要かというと、つやがあってきちんと固まる、いい状態にするためです。
パータ・グラッセの場合は、チョコレート菓子のように本格的な温度計を使う必要はありません。プロセスにあるように、いったんとかしてから温度を下げます。ただ、下げすぎると固まってしまいます。そのため、扱いやすいように次に温度を上げますが、このとき上げすぎてもいけません。状態が不安定になってしまいます。「熱湯に瞬時＝1秒ほどつける」これを守ってください。それでもとろみが強ければ、もう1秒つけます。ボウルの中の様子で見極めてください。

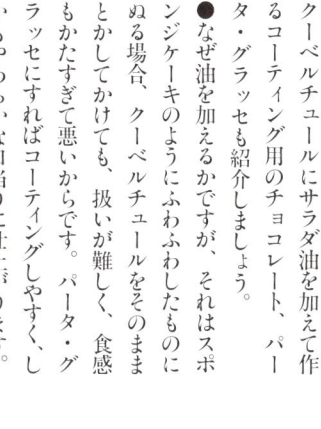

1 チョコレートは刻んでボウルに入れ、40〜50℃の湯を張った鍋（ボウルに湯気が回らない大きさ）にかけてとかした後、サラダ油を加え混ぜる（写真**A**）。
2 ①のボウルを水を張った鍋、またはボウル（チョコレートに水気が入らない大きさ）に重ねて冷やしながら、へらで混ぜて温度を下げる（**B**）。同時に湯せん鍋は火にかけ、熱湯にしておく。
3 チョコレートがボウルの底のほうで固まりかけたら、底を熱湯に1秒ほど当て、扱いやすいようにゆるめる（**C**）。
4 すぐに用意しておいたケーキに全量かける（**D**〜**E**）。
5 パレットナイフで上面をひとなでし、側面に落として、側面も仕上げる（**F**）。何度もなでると跡が残るので、一気に仕上げること。

＊ラップフィルムについた分は、固まるまで待ってはがし、においがつかないように保存し、次回に使用する。

スポンジケーキのバリエーション
ロールケーキの生地は？

基本の共立て法ジェノワーズをただ薄く焼いても、うまくは巻けません。

● ロールケーキの生地はきれいに巻くための配合で作ります。ジェノワーズの生地だけをうまく薄く焼いても、うまくは巻けません。手順は同じですが、粉の合せ方が違います。ジェノワーズのときよりも多く、数にすると60回ぐらい泡立て器を動かしてほしいのです。卵に対して砂糖も粉も少ないので、粉をよく合わせないと、きめ細かくならないからです。

● 焼くときは、薄い生地なのでゆっくり焼くと乾いてしまいます。ジェノワーズよりも高めの温度で、10〜12分でさっと焼き上げ、裏面（巻いたときに表になる面）は焼き色をつけずに仕上げます。そのために、天板を重ねるなど工夫をしてください。ビロードのようにしっとりと焼き上がるのが理想です。

材料（28cm角の天板1枚分）
卵　3個
砂糖　60g
水（またはシロップ）　大さじ1
薄力粉　50g

＊天板は2cm前後の違いならばこの配合でいい。20cm角の天板の場合は2/3量で作る（端数は四捨五入）。

◆ 準備
・天板にわら半紙を周囲を2cmほど立ち上がらせて敷く。四隅は切込みを入れてきちんと折る。ここではわら半紙2枚を使用。
・オーブンは約200℃に設定。

生地を作る

1 15ページのジェノワーズの手順①〜⑦までを参照して生地を作るが、粉は一度に加える。粉が見えなくなってもさらに混ぜ、ジェノワーズよりも多く、約60回混ぜる。必ずボウルの底を通って、生地を高く持ち上げ、表面に落として合わせていく。その都度、ボウルをゆっくり回転させること。

天板に生地を流して焼く

2 用意した天板の中央に一度に流し入れる。はじめにゴムべらで中心から四隅に生地を広げる。

3 次にカードを使い、天板の端から各辺を順に1回ずつならす。真ん中はいじらないこと。カードは生地に対して約30度の角度に当て、天板に平行にカードの重みだけでなでるように動かす。一つの辺をならしたら、天板を90度回して次の辺をならす。

4 全体に霧を吹き（霧を吹いて焼くことで平らになる）、200℃のオーブンで10〜12分で焼き上げる。

5 焼いた面を上にして充分冷ましておく。その後、すぐに巻かないときは、乾かないように大きなポリ袋に入れ、袋が直接つかないようにふくらませておく。

いちご入りロールケーキ

クリームをぬって仕上げましょう。

ロールケーキのクリームは、生クリームを泡立てたクレーム・シャンティではいちごが落ち着かず、巻きにくいものです。卵黄とゼラチンを加えるディプロマットクリームなら、クレーム・シャンティよりも安定しているので、簡単にフルーツを巻き込むことができ、味もよく、形もきれいに仕上がります。

ただ、ゼラチンが入っているため、ぐずぐずしていると固まってしまいます。生地を準備しておいて、クリームは作ってすぐにぬり、いちごを並べ終えたころがちょうど巻きやすいので、そのタイミングを覚えてください。

生地の準備

1 生地の一方の端を巻終りとし、1cmほど斜めに切り落とす。

2 巻きはじめ側には、巻きやすいように、2cm間隔で5〜6本、浅く切れ目を入れておく。

3 リキュール入りシロップを全体に軽くぬる。薄い生地なので刷毛にしみ込ませすぎないよう気をつける。

いちご入りロールケーキの材料（1本分）
ディプロマットクリーム
- 卵黄　1個分
- 砂糖　30g
- レモン汁、好みのリキュール　各小さじ2
- 粉ゼラチン　小さじ2
- 白ワイン（または水）　大さじ2
- 生クリーム　150mℓ

いちご　約100g
仕上げ用リキュール入りシロップ　適宜
飾り用粉砂糖　適宜

◆準備
・ゼラチンは分量の白ワインでふやかしておく（約30分）。
・生地を裏返し、底の紙を端からそっとはがす。このとき、焼いた面が傷まないように、新しい紙をかぶせてから裏返すといい。このはがした紙を再び当てて、表に返す。
・いちごはへたを取り、四つ割りにしておく。

8 はじめに、1列目のいちごが中心にくるように、軽く一巻きして芯を作る。

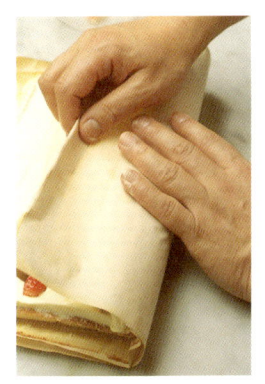

9 紙の端を破けないように 2 cmほど折って二重にして持ち、巻きすのようにしながら、ぐずぐずにならないように押さえつつ、芯を中心にゆっくりと巻く。

10 最後にこの紙でくるくると巻いて、巻終りを下にし、冷蔵庫で冷やす。いただくときに粉砂糖をふる。

ディプロマットクリームを作る

4 小さめのボウルに卵黄と砂糖を入れてよく混ぜ、湯せんにかけてさらにすり合わせる。もったりとしたクリーム状になったら、湯せんからはずし、レモン汁とリキュールを加え混ぜる。

5 ふやかしておいたゼラチンを湯せんでとかし、すぐに④の卵黄に混ぜ合わせる（ゼラチンは電子レンジでとかしてもいいが、煮立てないように）。

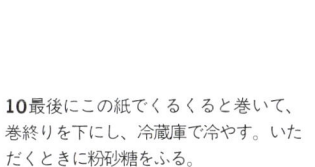

6 別のボウルに生クリームを入れ、底を氷水に当てながら表面に軽く筋がつく程度に泡立てる。ここに⑤をさっと加え混ぜる。

巻く

7 ③の生地にクリームをのせ、全体にのばすが、巻終りは薄めにしておく。クリームの上にいちごを間隔をあけて4列ぐらい並べる。

スポンジケーキのバリエーション
ビスキュイ・ア・ラ・キュイエール

まわりはしっかりしていて、軽くかさっとした口当たりがこのお菓子の特徴です。生地を絞って焼くので、絞り出してもだれないくらいの生地にしなければいけません。

● だれない生地にするために、卵白をしっかりしたメレンゲにして加える別立て法で作ります。配合は卵に対して粉の量がとても少なく、バターは入りません。粉にはコーンスターチを加え、小麦粉だけよりもグルテンを減らしてさっと仕上げます。砂糖は入れやすいように粉砂糖にします。

● 表面に粉砂糖を2回ふってから焼きますが、この粉砂糖をふったことでできる、つやのある薄い膜のようなものを指してフランス人は「ペルル（パール）のよう」といいます。

焼き上がったらしけないように保存すれば、1〜2週間もちます。そのままでいただいたり、シャルロットのまわりなどに活用してください。シャルロットの底用の生地を作るときは、作りたい大きさに合せて渦巻き状に絞って焼きます。

材料（8cm長さ50本分）
- 卵黄　2個分
- 粉砂糖　20g
- オレンジの皮のすりおろし（好みで）　½個分
- 卵白　2個分
- 粉砂糖　30g
- 薄力粉　40g
- コーンスターチ　10g
- 仕上げ用粉砂糖　適宜

◆準備
- オーブンシートの裏面に絞り出す目安の線を鉛筆で書く。ここでは8cm長さなので、8cm幅の線を2列、間隔を2cmあけて引いた。
- 薄力粉とコーンスターチは合わせてふるっておく。
- オーブンは約160℃に設定。

● キュイエールの意味は？
フランス語でスプーンの意味。絞出し袋ができる以前はスプーンですくって形作ったことからついたとか。

天板に絞って
粉砂糖をかける

5 口金をつけた絞出し袋に④の生地を入れ、天板のオーブンシートの線に合わせて、間隔をあけながら、つぶさないようふっくらと絞り出す。

6 粉砂糖を茶こしを通して2回かけるが、2回目は1回目の粉砂糖が表面に見えなくなってからかける。粉砂糖をかけると表面がきれいになる。
160℃のオーブンに入れ、4〜5分で140〜150℃に下げ、中心まで乾き、全体に焼き色がつくまでゆっくり約25分で焼き上げる（細く絞った場合は早く焼ける）。

●絞出し袋の持ち方は？

写真のように手で握れるくらいの量を袋に入れて、生地が口からあふれ出ないように袋の口をねじります。このねじった位置を親指と人さし指でぎゅとはさんで持ち、一定の力加減で軽く絞り出します。口をねじらずに真ん中あたりを持つと、袋から生地があふれたり、力がうまくかからないので気をつけて。

卵黄と粉砂糖を
すり混ぜる

1 卵黄と粉砂糖を合わせ、よくすり混ぜる。白っぽくなったら、好みでオレンジの皮を加え混ぜる。

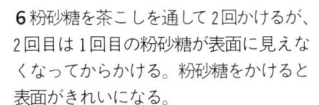

メレンゲを作って加える

2 別のボウルに卵白を入れ、粉砂糖を5回ぐらいに分けて加えて、しっかりしたメレンゲを作る（p.24参照）。

3 ①のボウルに②のメレンゲの1/3量を加え、泡立て器で手早く混ぜる。

粉を加える

4 ③に合わせておいた粉類をふるいを通して加え、底からすくうようにして混ぜる。この段階では多少粉っぽさが残っていてもいい。
さらに残りのメレンゲを加える。ゆるんでいるようなら、再び泡立ててぴんとさせてから加えること。泡立て器で手早く、泡をつぶさないように均一に合わせる。

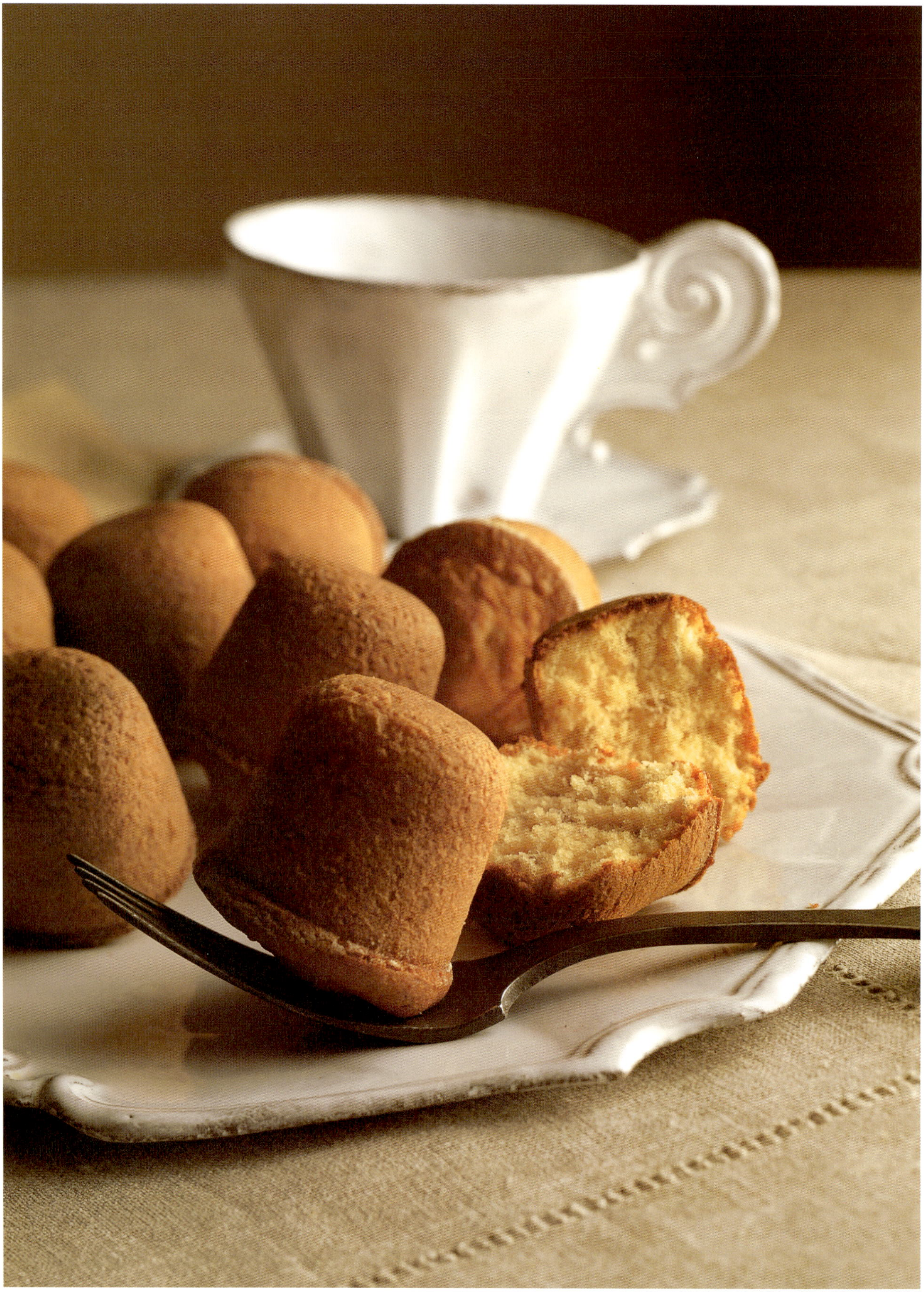

スポンジケーキのバリエーション
マジパンのケーキ

アーモンドの風味をたっぷり味わえる、マジパンをベースにしたケーキを作りましょう。マジパンというと、細工用のものを連想されるため、おいしくない印象がありますが、アーモンドの比率の高い味のいいローマジパンで作れば、とてもおいしくできます。
作り方は、別立て法スポンジケーキ、ビスキュイの応用です。ここではアイスクリームに使うボンブ型という小さな型で焼きましたが、大きな型でもかまいません。その場合は火の通りがいいリング型がおすすめです。

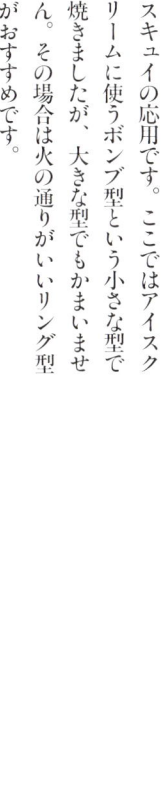

マジパンのケーキ

材料（直径5cm、高さ4.5cmのボンブ型12個分、または直径18cmのリング型1台分）
ローマジパン　200g
卵　2個
卵黄　1個分
塩　ひとつまみ
砂糖　40g
ラム酒　大さじ2
薄力粉　20g
コーンスターチ　20g
無塩バター　80g
　卵白　1個分
　砂糖　20g
くるみ　100g
＊ここではアーモンド2に対して
砂糖1の割合のローマジパンを使用。

◆準備
・ローマジパンは室温におき、やわらかくしておく。
・型にバター（分量外）をぬって冷やしてから、強力粉（分量外）をふっておく。
・薄力粉とコーンスターチは合わせてふるっておく。
・バターは湯せんでとかし、保温しておく。
・くるみは粗く刻んでおく。
・オーブンは180℃に設定。

1 マジパンは手でよくもんでやわらかくしてボウルに入れ、よくほぐした卵を少しずつ加え、しっかりしたゴムべらでつぶすように混ぜてのばしていく（写真**A**）。卵は一度にたくさん加えると、マジパンが粒々に浮いてしまうので注意。

2 ①に卵黄、塩、砂糖40gを加えてハンドミキサーの高速で3〜4分泡立て、続けてラム酒を加え混ぜる（**B**）。この一方で、卵白に砂糖20gを3〜4回に分けて加え、しっかりしたかたいメレンゲを作る（p.24参照）。

3 ②のマジパンのボウルに粉類をふるいを通して一度に加え、ゴムべらでよく合わせる（**C**）。

4 ③に保温しておいたとかしバターを加え、混ぜる（**D**）。さらにメレンゲも加え、均一になるまで混ぜる。

5 最後にくるみを加え、全体に合わせる（**E**）。

6 用意しておいた型に流し入れ、霧を吹き、180℃のオーブンで約20分焼く（**F**）。表面にできた割れ目が乾けば焼上り。

上 マーブル模様のバターケーキ ➜ **p.55**
中 別立て法カトルカール ➜ **p.50**
下 ドライフルーツ入りバターケーキ ➜ **p.54**

基本の生地 2
バターケーキ生地は？

はじめにバターをクリーム状にして作るのが、バターケーキです。

バターケーキはバターをクリーム状にかき立てたところに、砂糖や卵、粉を混ぜて作ります。

●最も大事なことは、バターをいかにクリーミングするかです。そのためにはまず、どの材料よりも先に、バターを冷蔵庫から出してやわらかくする準備をしてください。

作り方は、クリーミングしたバターに卵をどういう形で混ぜるかで二つに分けられます。一見簡単そうなのが卵をそのままほぐして加え混ぜる"全卵すり込み法"ですが、分離しやすいのが難点。油脂であるバターに水分である卵を加えるわけですから、簡単に混ざらなくて当然なのです。分離しても「粉を入れれば直る」と思うかもしれませんが、一度分離してしまった生地は見た目はうまく混ざっているようでも、決していい状態ではありません。出た水を粉が吸っているのです。

これでは、はじめにバターをクリーミングした意味がなくなります。

●卵を卵黄と卵白に分けて加える"別立て法"にはメレンゲを立てる手間はありますが、分離の心配はありません。バターに卵黄を加えると簡単に混ざります。これは卵黄には天然の乳化剤が含まれているからです。卵白はメレンゲにして、粉と交互に加えていきます。仕上りも全卵すり込み法に比べて、軽い風合いになります。

●作り方、口当り両面の理由から、バターケーキの基本は別立て法をおすすめします。

製法を変えるとカトルカールが四つ誕生。

カトルカールとはフランス語で四同割の意味で、バター、砂糖、卵、粉の4種類の材料をすべて同じ分量で作るお菓子のことです。

バターケーキの基本の作り方は、このカトルカールで説明しますが、その前に、同じ配合でも製法を変えると、いろいろなカトルカールが誕生する話をしましょう。下の四つのカトルカールをごらんください。

すべて同じ四同割の配合ですが、製法がすべて違います。ふくらみ方や、きめの違いがわかりますか？　もちろん、口当りも微妙に違います。

下の二つは、バターをクリーム状にするバターケーキの方法で作ったもの。右は卵を卵黄と卵白に分ける別立て法、左は全卵すり込み法で作りました。

左ページの右側が、スポンジケーキと同じ、共立てジェノワーズの方法で作ったもの。左端は、バター以外の材料を混ぜたところにクリーミングしたバターを混ぜると

全卵すり込み法
クリーム状にしたバターに全卵をすり混ぜる方法で作る。やや生地がしまっている。作り方52ページ

別立て法
クリーム状にしたバターに卵黄と卵白（メレンゲ）を分けて加える。全卵すり込み法よりも軽い生地で高さも出る。作り方50ページ

いう、ちょっと変わった方法（56ページのガレット・シャランテーズと同じ方法）です。
このように同じ配合でも、作り方を変えることによって、味や質感が違ったものができるのもお菓子作りのおもしろさといえるでしょう。

シャラント風

56ページのガレット・シャランテーズ（バター以外の材料を全部混ぜたところに、クリーム状にしたバターを入れる）の方法で作る。ふくらみは出ないが、バターの味わいが強い。作り方53ページ

共立てジェノワーズ法

スポンジケーキの共立て法（ジェノワーズ）で作る。いわば、パウンド型で焼いたバターの多いスポンジケーキ。ふくらみがいちばん高い。作り方53ページ

バターケーキの基本、別立て法カトルカールを作りましょう。

●バターがなかなかやわらかくならないときは？（←p.8）

いちばん簡単な方法は電子レンジにかけることですが、中心のほうだけが先にやわらかくなってしまいます。必ず5秒ずつぐらいで、中までへらを入れてチェックしましょう。
また、バターを薄切りにしてボウルにはりつけ、しばらく常温においてから、へらで練ると比較的早くやわらかくなります。

カトルカールの基本材料
（18×9cmのパウンド型1台分）
無塩バター　100g
塩　ひとつまみ
粉砂糖　100g
卵　2個（正味100g）
レモンの皮のすりおろし　½個分
レモン汁　大さじ1
ラム酒　大さじ1
薄力粉　100g

◆準備
・バターはやわらかくしておく。
・型の準備をする（p.13参照）。
・卵は卵黄と卵白に分けておく。
・粉砂糖は半分に分けておく。
・オーブンは160〜170℃に設定。

●バターをクリーム状にするって、どの程度？（←p.8）

泡立て器で持ち上げたとき、やわらかい角が立つくらいがちょうどいい状態です。このように仕上げるには、最初のバターのかたさがとても大切です。バターケーキを作るとなったら、まずはじめにバターを冷蔵庫から出し、ある程度やわらかくなったところで、泡立て器で強くかき混ぜてクリーム状にしましょう。
バターは気温にとても影響されるので、いい状態を保つために、作業する室温にも気を配ってください。

●粉の合せ方は？

ジェノワーズと同様に、粉を入れたら泡立て器で合わせますが、ジェノワーズの生地に比べて流動性がないため、ボウルの向う側から手前に生地を持ち上げても、泡立て器の中の生地は自然には落ちていきません。持ち上げたら、その都度、泡立て器をトントンとボウルに当てて、中にこもった生地を落としてください。こもった分をそのままにして合わせてしまうと、こねるのと同じことになります。

●焼上りの目安がわからない！（←p.8）

竹串を刺して確認するよりも、上面の割れ目の状態で見極めてください。乾いていれば中まで焼けています。

バターをクリーム状にする

1 ボウルにやわらかくしたバターを入れ、塩を加えて泡立て器でかき立て、泡立て器を持ち上げたときにやわらかい角が立つくらいにする。ここに粉砂糖の半量を3回に分けて加え、その都度、充分かき立てて空気を含ませる。

2 卵黄をくずさずに1個ずつ加え、よく混ぜる。レモンの皮、レモン汁、ラム酒を加え混ぜる。

メレンゲを作る

3 ここでメレンゲを作る。卵白をボウルに入れ、ハンドミキサーでよくほぐし、残りの粉砂糖を1/4〜1/6量加え、泡立てる。ぴんと角が立つくらいになったら、さらに残りの粉砂糖を3〜4回に分けて加え、その都度、しっかり泡立てて充分かたいメレンゲにする（p.24参照）。

メレンゲと粉を交互に混ぜる

4 ②に③のメレンゲの1/3量を加え、見えなくなるまでよく混ぜる。

5 粉の半量をふるいを通して加え、泡立て器で生地を底から上に高く持ち上げ、トントンと針金の間を通しては落とし、粉と合わせていく。

6 再びメレンゲの1/3量を加え、泡立て器で底から混ぜ合わせる。続けて、残りの粉を同様に加え混ぜる。

7 ⑥に残りのメレンゲを加え混ぜる。その後、ゴムべらに持ち替え、泡立て器で混ぜきれなかった周囲や底の生地を均一にする。

型に入れて焼く

8 用意した型に入れ、中心線に沿って少しくぼみを作り、霧を吹いて160〜170℃のオーブンで約40分焼く。割れ目が乾いたら焼上り。型ごと20cmぐらいの高さからトンと落としてショックを与えてから、紙を持って網に取り出す。

三つのカトルカール 全卵すり込み法は？

全卵すり込み法は分離しやすいとはじめに説明しましたが、分離を防ぐ方法もあります。

● 分離させないで作るには、卵を入れる前にバターのほうに粉を少し混ぜておくのです。こうすると卵の水分が粉に吸われて混ざりやすくなり、結果として分離もしにくくなります。配合、焼き方は50ページの別立て法カトルカールと同じです。

材料　50ページのカトルカールの基本材料と同じ

◆準備
・バターはやわらかくしておく。
・型の準備をする（p.13参照）。
・オーブンは160〜170℃に設定。

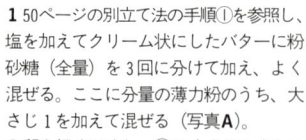

1 50ページの別立て法の手順①を参照し、塩を加えてクリーム状にしたバターに粉砂糖（全量）を3回に分けて加え、よく混ぜる。ここに分量の薄力粉のうち、大さじ1を加えて混ぜる（写真**A**）。

2 卵を軽くほぐし、①に大さじ1ぐらいずつ加え、その都度よく混ぜる（**B**）。必ず、卵が完全に混ざって見えなくなってから、次を加えること。続けて、レモンの皮を加え、レモン汁、ラム酒を少しずつ分離しないように加え混ぜる。

3 ②に粉の1/3量をふるいを通して加え、粉が見えなくなるまで泡立て器で切り混ぜる（**C**）。

4 残りの粉をふるい入れたらゴムべらに替え、粉が見えなくなるまで切り混ぜる（**D**）。以下は51ページの別立て法の手順⑧を参照し、用意した型に生地を入れ、霧を吹いて160〜170℃のオーブンで約40分焼く。

＊泡立て器からへらに替えるときは、必ず、泡立て器についた生地を手でこそげ取って入れること。

共立てジェノワーズ法は？

スポンジケーキの共立て法ジェノワーズの要領で作るカトルカールです。基本のジェノワーズに比べてとかしバターが多いため、重くなって下にバターが沈んでしまうのではないかと心配するかもしれませんが、大丈夫です。卵に対して砂糖も粉も多い配合なので、バターは適切に入れれば、むしろ沈みにくいといえます。

●作り方は基本のジェノワーズと同じですが、バターは一度に入れません。大さじ2ぐらいずつ、ふり入れるようにしてください。このジェノワーズ風のカトルカールが上手に焼ければ、あなたの泡立ても成功しているということ。充分に泡立てることの重要性もきっと納得されるでしょう。

材料　50ページのカトルカールの基本材料と同じ

◆準備
・型の準備をする（p.13参照）。
・オーブンは160～170℃に設定。

1 15ページの共立て法ジェノワーズの手順①～⑧を参照し、生地を作る。卵に粉、砂糖と塩を加え、湯せんにかけながら泡立てたら、水の代りに、レモンの皮、レモン汁、ラム酒を合わせたものを加える。バターは湯せんでとかし、保温しておく。
2 粉は2回に分けてふるい入れる。基本のジェノワーズよりも卵に対して粉が多いので、合わせるときにかなり重くなるが、同様に底からすくって持ち上げる動作を繰り返して合わせる。
3 ②に保温しておいたとかしバターを大さじ2ずつ加え、生地をすくってバターの上に広く落としながら、バターを生地の間にはさむようにして合わせる。
4 ゴムべらで全体を混ぜ、用意した型に生地を入れ、160～170℃のオーブンで約30分焼く。

スポンジケーキの共立て法ジェノワーズの要領で卵を泡立てて粉まで混ぜたところに、保温しておいたとかしバターを少しずつ加えて生地を作る。

シャラント風は？

57ページで紹介するガレット・シャランテーズの方法で作るカトルカールです。詳しい工程はガレット・シャランテーズを参照してください。簡単に説明すると、バター以外の材料の卵、砂糖、粉を混ぜておき、ここにクリーム状に練ったバターを混ぜるというちょっと変わった方法です。同じ濃度のものどうしを合わせるので、失敗しにくいと思います。仕上りは、ほかの方法に比べて高さは出ませんが、バターの風味をいちばん感じます。日もちもいちばんします。

バター以外の材料を混ぜたところに、クリーム状にしたバターを合わせて生地を作る。

バターケーキのバリエーション
ドライフルーツを入れるときは？

● フルーツケーキは、フルーツのほかにラム酒やレモン汁が多く入るので重くなりがちですが、アーモンドパウダーを加えることで汁気が吸われ、香ばしく軽い風合いに仕上がります。ラム酒漬けのドライフルーツを沈まないようにするために、汁気を充分きっておくことも大切です。

ドライフルーツ入りバターケーキ

材料（直径17cm、容量1200mlのクグロフ型1台分）
＊（ ）内は18×9cmのパウンド型1台分の分量

- 無塩バター　150g（100g）
- 塩　ひとつまみ
- 粉砂糖　150g（100g）
- 卵　3個（2個）
- アーモンドパウダー　60g（40g）
- レモンの皮のすりおろし　1個分（2/3個分）
- レモン汁　大さじ3（大さじ2）
- ラム酒　大さじ3（大さじ2）
- 薄力粉　150g（100g）
- ラム酒漬けレーズン　220g（150g）
- オレンジピール　70～90g（50～60g）
- ドレンチェリー　15粒（10粒）

＊フルーツは汁気を軽くきって計量する。

◆準備
- バターはやわらかくしておく。
- 型にバター（分量外）をぬり、冷やしてから、強力粉（分量外）をふっておく。
- 卵は卵黄と卵白に分けておく。
- 粉砂糖は半分に分けておく。
- アーモンドパウダーはふるっておく。
- オーブンは160～170℃に設定。

1 ラム酒漬けレーズンはさらしのふきんに包んで絞り、出た汁は分量のラム酒と合わせておく。オレンジピールは表面の水分をふき取り、細かく刻む。ドレンチェリーは四つに切る。以上のドライフルーツを一緒に混ぜておく（写真**A**）。

2 やわらかくしたバターに塩を加えてよくかき立て、粉砂糖の半量を3回に分けてよく混ぜる。ここに卵黄を加えて、さらにクリーミングする。

3 ②にアーモンドパウダーを加え、レモンの皮、レモン汁、ラム酒を加え、混ぜる。

4 卵白に残りの粉砂糖を6～7回に分けて加え、しっかりしたかたいメレンゲを作る（p.24参照）。

5 ③にメレンゲの1/3量を加え混ぜる。次に粉の半量を加え混ぜる。

6 合わせておいたドライフルーツを一度に加え、全体に混ぜ合わせる。

7 ⑥にメレンゲの1/3量を加え混ぜ、次に残りの粉を加え混ぜ、最後に残りのメレンゲを加え混ぜる。

＊メレンゲと粉の合せ方は、50ページの別立て法カトルカールの手順④～⑦参照。

8 用意しておいた型に入れ、全体に霧を吹いてから、160～170℃のオーブンに入れて50～60分焼く（**B**）。焼き上がったら型ごと20cmぐらいの高さからトンと落とし、型からはずして網にのせて冷ます。

マーブル模様に焼くときは？

●配合の粉を2等分して、一方はそのまま、他方は20％をココアに置き換えて生地を作り、マーブル模様になるように混ぜて焼き上げます。これもクグロフ型で作ると、マーブルの効果が出ます。模様の出方が作るたびに違うのも楽しい。

マーブル模様のバターケーキ

材料（直径17cm、容量1200mlのクグロフ型1台分）
- 無塩バター　150g
- 塩　ひとつまみ
- 粉砂糖　150g
- 卵　3個
- レモンの皮のすりおろし　1½個分
- レモン汁　大さじ1½
- ラム酒　大さじ1½
- 薄力粉　75g
- { 薄力粉　60g
- { ココアパウダー　15g

◆準備
- バターはやわらかくしておく。
- 型にバター（分量外）をぬり、冷やしてから、強力粉（分量外）をふっておく。
- 卵は卵黄と卵白に分けておく。
- 粉砂糖は半分に分けておく。
- 薄力粉60gとココアパウダーは合わせてふるっておく。
- オーブンは160〜170℃に設定。

1 50ページの別立て法の手順①〜②を参照し、クリーム状にしたバターにラム酒まで加え、これを2等分する。

2 卵白に残りの粉砂糖を6〜7回に分けて加え、しっかりしたかたいメレンゲを作り（p.24参照）、2等分する。

3 それぞれのバターにメレンゲと粉を交互に合わせて、プレーンな生地とココア入りの生地を作る。メレンゲと粉の合せ方は、別立て法の手順④〜⑦を参照。

4 用意した型にそれぞれの生地をひとすくいずつ交互に入れ、箸（または細い棒）を差し込んで、マーブル模様になるようにぐるっと一混ぜする（写真**A〜B**）。あまり混ぜすぎないほうが、きれいな模様になる。

5 表面に霧を吹いて、160〜170℃のオーブンで45〜55分焼く。型ごと20cmぐらいの高さからトンと落とし、型からはずして網の上で冷ます。

●自家製オレンジピールは？

これはまだオレンジが自由化される以前に、師である故宮川敏子先生が考案した、いよかんの皮で作る方法です。有機栽培のもので作ることをすすめます。

1 四つ割りにしたいよかんの皮を、たっぷりの湯で一度ゆでこぼし、さらにたっぷりの湯でやわらかくなるまでゆでる。ふきんで水気をふき取って瓶に縦に並べる。

2 水200mlに砂糖100gを煮溶かしてシロップを作り、熱いうちに①の皮にかぶるくらいまで注ぐ。皮が浮かないように重しをして、涼しいところに一昼夜おく。

3 翌日、瓶の中のシロップだけを鍋に移し、砂糖100gを加えて一煮立ちさせ、再び瓶に戻す。これを3日目、4日目と繰り返し、5日目には砂糖を150g足してシロップの濃度を高める（最終的には水200mlに砂糖550gが入ることになる）。

4 そのまま1週間ほどおいた後、全体を鍋にあけ、煮つめないように煮立て、殺菌した保存瓶に入れて保存する。

●市販のドレンチェリーをおいしくするには？

そのままではあまりおいしくないので、瓶に入れて、ブランデー、キルシュを注ぎ、1週間以上おいてから使います。

●ラム酒漬けレーズンの作り方は？

干しぶどうは黒いレーズンと淡い色のサルタナを合わせて1kg用意し、ぬるま湯でさっと洗ってから、一緒に鍋に入れます。ひたひたより少なめの水を注ぎ、砂糖100g（干しぶどうの1割）とレモン汁1個分を加え、強火で煮ます。汁気がなくなるまで煮上げ、瓶に移し、ラム酒をひたひたに注いで、最低1週間おいてから使います。冷蔵庫で3〜4か月の保存が可能です。

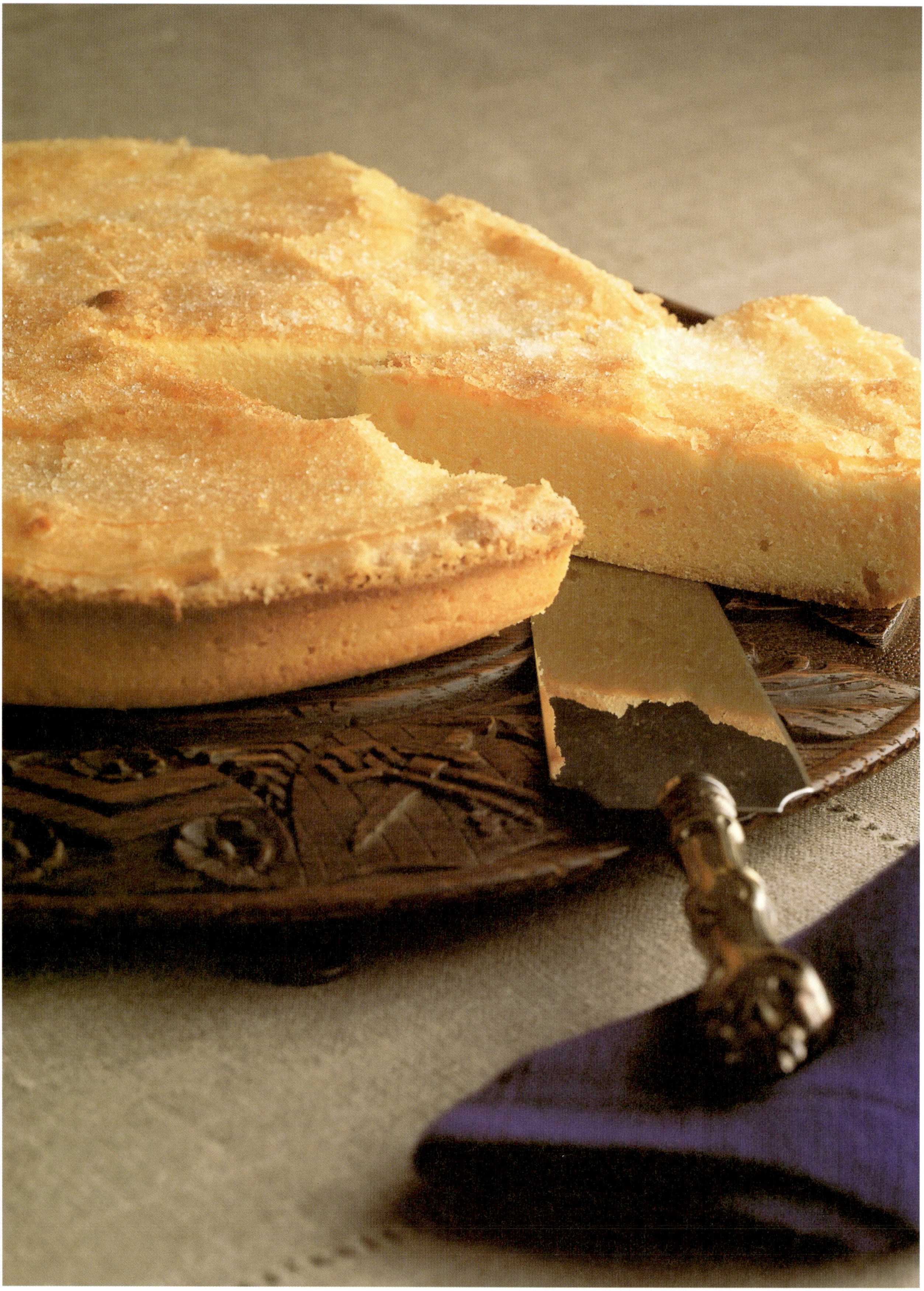

混ぜ方が変わっている ガレット・シャラントーズ

フランス・シャラント地方料理の本で見つけ、何よりもバターの加え方にひかれて作ったのが、このお菓子。まわりはしっかりとしながら、しっとりした風合いのとても素朴でシンプルな味わいです。

まず、卵と砂糖を泡立てて、次に粉を加えてよく混ぜてしまいます。普通ならば、ここにとかしバターを加えるところなのですが、なんと、やわらかく練ったバターを加えるのです。卵＋砂糖＋粉を混ぜた状態が、クリーム状のバターと同じやわらかさだから、うまく混ざり合うのでしょう。

これを作りながら、「カトルカールの配合ではできないだろうか？」と思って作ったのが、49ページのシャラント風カトルカールです。

材料（直径22〜24cmのマンケ型またはタルト型1台分）
無塩バター　120g
卵　2個
塩　ひとつまみ
砂糖　120g
オレンジの皮のすりおろし　1個分
レモンの皮のすりおろし　1個分
レモン汁　大さじ1
オレンジの花水　小さじ2〜3
薄力粉　200g
仕上げ用グラニュー糖　適宜
＊オレンジの花水は、オレンジの花を蒸留して香油を作るときにできる水の香料。なければ、コワントローなどのリキュールでもいい。

◆準備
・バターはやわらかくしておく。
・型の側面にバター（分量外）をぬって冷やしてから、強力粉（分量外）をふる。底には紙を敷く。
・オーブンは180℃に設定。

1 ボウルにやわらかくしたバターを入れ、クリーム状にさらにやわらかく練っておく（写真**A**）。
2 別のボウルに卵、塩、砂糖を入れ、ハンドミキサーでよく泡立てる（**B**）。
3 ②にオレンジの皮、レモンの皮、レモン汁、オレンジの花水を加え混ぜ、粉をふるい入れる。粉が見えなくなり、少々粘りが出るまでゴムべらで混ぜる（**C**）。
4 ③にやわらかく練ったバターを一度に加え、均一になるまで混ぜる（**D**）。
5 用意した型に生地を流し入れて表面を平らにし、グラニュー糖をふり、180℃のオーブンで約25分焼く（**E**）。

タルト用生地のなぜ

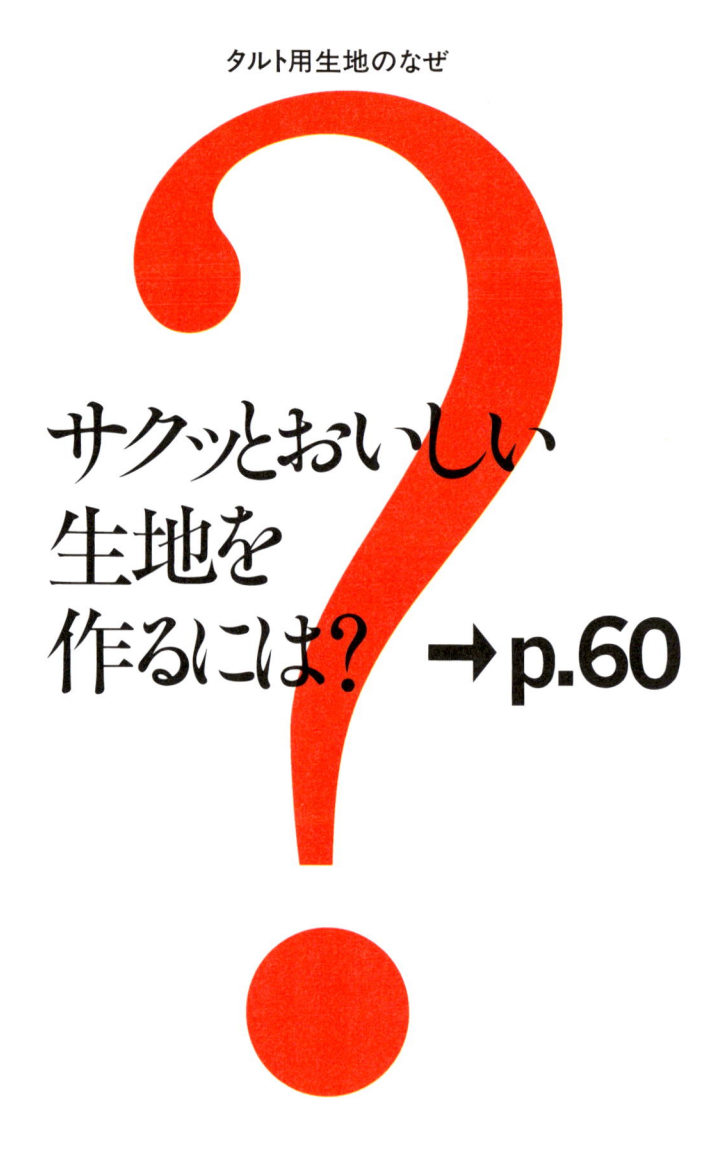

サクッとおいしい生地を作るには？ →p.60

いちばん応用のきく生地はどれ？ →p.60

層になる折りパイ生地を作りたい！ →p.64

折りパイ生地はなぜ何度も休ませる？ →p.64

焼くと生地が縮んでしまう！ →p.66

中身がべたっとしみてしまう！ →p.67

ココアやアーモンド風味の生地にするには？ →p.60

上から、アーモンドのタルト、あんずのタルト、洋梨のタルト → **p.69**

パート・シュクレは？

● いちばん応用範囲も広く、ぜひマスターしていただきたいタルト用生地が、このパート・シュクレです。きめの細かいほろっとした口当りが特徴で、そのまま型抜きして焼けばサブレにもなります。

● 作り方は難しくありません。大事なことは材料全体を均一に合わせることです。簡単なのでつい手抜きになりがちですが、丁寧にきちっと作られるようになりましょう。出来の悪い生地だと、のばしたときにぼそついたり、型に敷き込む際に割れてしまいます。

● でき上がったら冷蔵庫で休ませますが、休ませる時間が短いと焼上りが粉っぽく、おいしくありません。水分が少ないのでできれば一晩おいたほうが安定します。お菓子を作る前日には作っておきましょう。

この生地は加熱しても伸び縮みが少ないので、から焼きするときに、アルミ箔を敷いたり重しをする必要はありません。

基本材料（でき上り約400g分）
無塩バター　100g
塩　ひとつまみ
粉砂糖　80g
卵黄　1個分（約20g）
薄力粉　200g

◆準備
・バターはやわらかくしておく。

● ほろっともろい口当りにするには？

砂糖は粉砂糖で、卵は卵黄を入れるといった配合とも関係がありますが、口当りの一番の決め手は製法にあります。バターと砂糖、卵黄をクリーム状によく混ぜたところに粉を入れることで、粉どうしがつながりにくくなり、きめ細かいほろほろっとした口当りになるのです。

● 材料を替えてもいい？

粉砂糖ではなく、上白糖やグラニュー糖に替えると、ややカリッとした口当りになり、ほろっとくずれるようにはなりません。卵も全卵に替えるとカリッとした仕上りになります。

● ココアやアーモンド風味の生地にするには？（←p.58）

パート・シュクレはいろいろなアレンジが楽しめます。ココア生地にするには分量の粉200gのうち、30～40gをココアパウダーに替えます。アーモンド風味の生地は粉とアーモンドパウダーをそのまま入れ替えるのではなく、粉を170gにし、アーモンドパウダーを50g加えます。好みでシナモンを加えて風味をつけてもいいでしょう。

バターをやわらかくし、砂糖、卵黄を加える

1 ボウルにやわらかくしたバターを入れ、塩を加えて泡立て器でかき立て、泡立て器を持ち上げたときにやわらかい角が立つくらいにする。

2 ①に粉砂糖を3回に分けて加え、その都度、充分にかき立てる。

3 卵黄を加え、さらによくすり混ぜる。

粉を合わせる

4 薄力粉の1/3量をふるい入れ、泡立て器で粉が見えなくなるまでよく混ぜる。

5 はじめの粉は泡立て器で、ここまでよくすり混ぜる。

6 残りの薄力粉をふるい入れたら、泡立て器では混ぜにくいのでへらに替え、粉が見えなくなるまで混ぜる。このとき、はずした泡立て器についた生地も手でこそげ落として加えること。

ひとまとめにし、休ませる

7 最後は手で一つにまとめ、ぽそつきがなく、しっとりしているのを確認して、ポリ袋に入れる。

8 めん棒で軽く平らに押さえ、冷蔵庫で一晩休ませる。

パート・ブリゼは？

パート・シュクレの次に応用のきく生地は、パート・ブリゼです。シュクレと同じようにもろく焼き上がりますが、ブリゼはシュクレよりもサクサクッとした口当たりに焼け、いくぶん粗いもろさがあります。これは配合も違えば、製法も全く違うからです。

ブリゼはシュクレのように均一に混ぜません。細かいバターのまわりに粉がついた、いわゆるそぼろ状にしてから、水分でまとめます。つまり、バターと粉が完全に混ざり合っていないのです。

●作り方で大事なことは、小麦粉の中にいかに細かいバターを細かくして混ざっているかです。

よく知られているのは「粉もバターも冷やしておき、粉の中でバターを細かくしていく」作り方ですが、私の方法は違います。

●粉はよく冷やしておきますが、バターは冷やしません。常温で練っておきます。よく冷えた粉に練ったバターを加えるのです。すると、粉の冷たさでバターは細かくなると同時に固まり、簡単にそぼろ状にすることができるわけです。この方法ならば、手で生地をさわる時間も短くてすみ、とても効率よくできます。

●この生地は、小麦粉の粘りが出ているため縮みやすいので、型に敷き込んだり成形した後は、必ず1時間は休ませてからから焼きします。から焼きの際も周囲を必ずアルミ箔でおおって、焼きちぢみを防ぐ工夫をする必要があります。

●**シュクレとブリゼの使い分けは？**
ブリゼは甘みの少ない配合なので、甘さを控えたいときや甘みの強いものを詰めるときに向いています。また、キッシュにもブリゼを使います。

ときほぐした卵を入れる

4 よくときほぐした卵を全体に散らし入れる。

基本材料（でき上り約450g分）
薄力粉　250g
砂糖　大さじ1
塩　小さじ½
無塩バター　150g
卵　小1個（正味45〜50g）

◆準備
・薄力粉は冷凍庫（または冷蔵庫）で充分冷やしておく。使うボウルも冷やしておく。
・バターは室温でやわらかくし、なめらかに練っておく。

5 はじめはカードであらかた混ぜる。

冷やした粉に練ったバターを加える

1 ボウルによく冷やした薄力粉を入れ、砂糖、塩を加えて泡立て器でよく混ぜ、なめらかに練ったバターを入れる。

ひとまとめにし、休ませる

6 最後に手でひとまとめになるように少しこねて仕上げる。

2 すぐに泡立て器を上からつぶすように動かし、バターを細かくする。さらに、左右に動かしてより細かくする。

そぼろ状にする

3 泡立て器をはずし、てのひらですり合わせるようにして、さらに細かいパン粉状にする。ここでは手際よく。ぐずぐずしているとバターがゆるみ、べたついてしまう。

7 ポリ袋に入れ、めん棒で軽く平らに押さえ、冷蔵庫で一晩休ませる。

フイユタージュ・ラピッドは？

ミルフイユのように本格的な層になる、いわゆる折りパイ生地を作るのは、粉の生地でバターを包んで折っていくのでかなり大変です。

● 即席（ラピッド）で作る折りパイ生地、フイユタージュ・ラピッドを紹介します。

● 作り方は、はじめに生地の中にバターが小さなかたまりで点在するくらいにまとめ、これを何回かのばして折りたたむことで、バターを生地の間に薄く広げて層にしていきます。

ラピッドといえども、ちょっと時間はかかりますが、独特の口当りと香ばしいバターの風味は手間のかけがいがあります。薄くのばしたり巻いたり包んだりと、ほかの生地よりもとても自由がききます。

時間配分をして作りましょう。上手に家事の合間に作業をするなど、ラピッドといえども、ちょっと時間はかかりますが、できれば3日以内に使用し、それ以上は冷凍庫に入れ、なるべく早く使いきりましょう。

基本材料（でき上り約520g分）
強力粉　125g
薄力粉　125g
無塩バター　150g
水　125ml
塩　小さじ½
打ち粉用強力粉　適宜

＊基本材料のでき上りは直径20cmのタルト型3台分と多いが、作りやすい分量なので残りは冷凍保存して使う。

◆準備
・2種類の粉はよく合わせておく。
・分量の水に塩を溶かす。
・材料はそれぞれ冷蔵庫でよく冷やしておく。

●折りパイ生地は なぜ何度も休ませる？（←p.58）

生地をのばしたりたたんだりしていると、粉の中にあるグルテンの縮もうとする性質が働いて、うまくのばせなくなります。また、バターもゆるんで扱いにくくなってしまいます。無理してのばすと生地が傷みますから、必ず休ませましょう。縮む力が弱まり、のばしやすくなります。乾燥しないようにポリシートに包んで、冷蔵庫に入れます。このとき、忘れないように、折った回数をメモしておきましょう。

●生地が層にならない！

バターがやわらかいと、粉と混ざり合ってしまい、層にならなくなります。粉もバターも水もよく冷やしておくことが大事。

●粉の半分を強力粉にするのはなぜ？

薄力粉だけではグルテンが弱く、つながりが悪いからです。手に入れば中力粉で作るといいでしょう。

粉とバターを切り混ぜる

1 大きめのボウルに冷やした粉を入れ、バターを5mmぐらいの厚さに切って加え、カードで1cm角ぐらいに刻む。

水を加える

2 ①に塩を溶かした水を全体に散らしながら加える。

ひとまとめにし、休ませる

3 はじめはカードで混ぜ、次に指先で粉が見えなくなって一つになるようにまとめる。これをポリ袋に入れ、めん棒で平らに押さえて冷蔵庫で一晩休ませる。
＊バターは生地の間に形が見えるくらいでいい。この時点では、ぼそっとして水分が足りないように見えても、休ませることにより、しっとりとまとまる。

翌日、のばして折る

4 翌日、生地を台に取り出し、両面に打ち粉（強力粉）を薄くふり、余分は刷毛で払う。

5 まず、めん棒で小刻みに少しつぶすようにしてから、めん棒を転がしてのばしていく。

6 40cmぐらいの長さになったら、手前と向うを折り返し、三つ折りにする。

7 ⑥の生地を90度回して、左右に折ったわがくるようにおき、再び同様にのばして三つ折りにする。途中、必要に応じて両面に薄く打ち粉をし、必ず余分は払う。

8 三つ折りは都合5回するが、途中のばしにくくなったり、バターがゆるんで扱いにくくなったら、生地を冷蔵庫で休ませる。休ませるときは折った回数を記しておくこと。
でき上がった生地は使う分量に切り分けて用いる。

タルトを作る前の準備は？

実際のレシピに入る前に必要な準備は、生地によって違います。

1. 焼き型の準備

● パート・シュクレ、パート・ブリゼ、パート・ブリゼ・ラピッド

型全体にやわらかくしたバター（分量外）をぬり、冷蔵庫で冷やしてから強力粉（分量外）をふります。

● フイユタージュ・ラピッド

この生地は型離れがいいので、生地を型に密着させるために、やわらかくしたバターを薄くぬります。粉はふりません。

● パート・シュクレ

粉のつながりが少ないので、のばした生地が割れやすく、移動が難しい。そこで、ポリ袋を切り開いたポリシートの間にはさんでのばし、型に敷くときもシートごと移動すると楽。こうすると型に敷いてから切り、フォークで底に空気穴をあける必要もありません。ポリ袋は厚手のものを使用します。

＊安定している生地なので、型に敷いたら空気穴をあけ、念のため冷蔵庫で20〜30分休ませます。

● パート・ブリゼ

べたつきやすい生地なので、打ち粉を少ししてのばし、型に敷くときはめん棒に巻きつけて移動させます。打ち粉にはグルテンの多い、さらさらとした強力粉を使います。

＊焼きちぢみするので、型に入れたら空気穴をあけ、最低1時間は休ませること。

● フイユタージュ・ラピッド

打ち粉をしながら必要な大きさにのばし、型に敷くときはめん棒で生地を巻き取って型にかぶせ、周囲の生地を型の中に落とすように敷き込んでいきます。このとき、生地を引っ張ると、縮む力が生じてしまうので注意。パート・シュクレと同様に、周囲は底よりやや厚くすること。

＊型に入れたら、はみ出た生地はすぐに切り落とさず、最低2〜3時間休ませてから切り、フォークで底に空気穴をあけます。この生地は、パート・ブリゼよりもさらに焼きちぢみしやすいので、休ませる時間も長くします。

2. 生地を型に敷き込み、休ませる

生地をのばして型に敷く方法はそれぞれ違います。

●焼きちぢみを防ぐためには、生地を休ませることが重要。生地によって違いがあるので＊印を参照してください。

レシピの材料表示は多めに見積もっています。残りの生地は再びまとめて、冷凍して用いてください。

小さい型に敷く場合

1 のばした生地を型よりも一回り大きい抜き型（型の深さによって加減する）で抜き、型の上にのせて、竹串で2〜3か所、空気穴をあける（写真**A**）。

2 指先で生地の縁を立てるようにして、型を回しながら、だましだまし生地を落としていく（**B**）。空気穴があいているので、自然に落ちる。次に、型を台に強くトントンと打ちつけ、生地をさらに底に落とす。

3 底は指先で密着させ、側面は指で押さえるようにしてぴったりと敷き込む（**C**）。最後に竹串で新たに空気穴をあける。

から焼きするときに重しが必要な生地、いらない生地

レシピによっては生地だけを先にから焼きします。そのとき、すべての生地に重しをする必要はありません。焼きかげんはレシピによって完全に焼く場合と、薄く色づく程度まで焼く、半焼きにする場合があります。

● パート・シュクレ
焼きちぢみしないので重しはいりません。そのまま180℃ぐらいのオーブンに入れて焼きます。

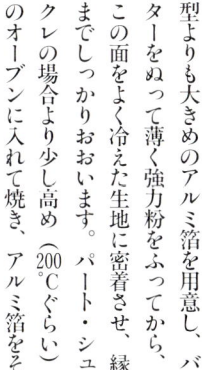

● パート・ブリゼ
型よりも大きめのアルミ箔を用意し、バターをぬって薄く強力粉をふってから、この面をよく冷えた生地に密着させ、縁までしっかりおおいます。パート・シュクレの場合より少し高め（200℃ぐらい）のオーブンに入れて焼き、アルミ箔をそっとはずします。

● フイユタージュ・ラピッド
この生地は焼きちぢみだけでなく、厚みがふくれて薄くクリームなどを詰められなくなってしまうので、必ず重しをします。型に敷いて充分冷やした生地に、パート・ブリゼと同様にアルミ箔を密着させ、さらに重し（これは米や豆）を入れ、200℃ぐらいのオーブンで焼きます。

上のパート・シュクレは重し不要（写真は半焼きにした状態）。中央のパート・ブリゼはアルミ箔でおおう。下のフイユタージュ・ラピッドはアルミ箔の上に重しをする。

● **中身がべたっとしみてしまう！**（←p.58）
生地にしとりやすい液状の中身、アパレイユを流すときは、から焼きの後、熱いうちに、内側全体に薄くとき卵（卵白でもいい）をぬってオーブンに戻し、卵を乾かして膜を作っておきましょう。こうすると、しとりにくくなります。レシピによっては、卵の代りにジャムをぬる場合もあります。

タルト型に敷く場合
（パート・シュクレ、パート・ブリゼ）

1 分量の生地（直径20cmのタルト型で約200ｇ）をポリ袋を切り開いたポリシートではさみ、めん棒でつぶしていく。このとき、かたすぎるようなら少しおく。のばせるようになっためん棒を転がし、4mm厚さの円形にのばす（写真**A**）。

2 ①の生地の上側のシートをはがして用意した型をふせて当て、シートごと生地を表に返し、シートをはずす（**B**）。

3 周囲にはみ出た生地を寄せながら、型の中に落としていく（**C**）。さらに、型から出ている分を少し下に押し込み、周囲は底よりやや厚くする。

4 縁から出た生地はナイフで切る（**D**）。ナイフは内側から外側へ、型の縁をすりながら動かすといい。切り口のささくれは指で整える。

5 底にフォークで平均に空気穴をあけてから、冷蔵庫で休ませる（**E**）。パート・シュクレは20〜30分、ブリゼは約1時間。

タルトによく合うクリーム、アーモンドクリーム

タルトの中身として最も応用範囲の広い、アーモンドパウダーで作るクリームを紹介しましょう。

基本の配合は、粉を少し加えたものです。粉を加えるとふっくらと焼き上がり、加えないとねっとりした感じになります。どちらでも好みでお選びください。アーモンドパウダーは混ざりものの入っていない、100％アーモンドのものを使ってください。

基本材料（でき上り420～450g分）
無塩バター　100g
粉砂糖　100g
薄力粉（好みで）　20～30g
卵　2個（正味100g）
アーモンドパウダー　100g
レモンの皮のすりおろし　少々
レモン汁　大さじ1～2
ラム酒（またはアマレット）　大さじ1～2
アーモンドエッセンス　少々

◆準備
・バターはやわらかくしておく。
・アーモンドパウダーは網を通してふるっておく。

1 ボウルにやわらかくしたバターを入れ、泡立て器でかき立て、粉砂糖を3回に分けて加え、よく混ぜる。続けて粉を加え混ぜる。

2 よくほぐした卵を少しずつ加えながら混ぜる。粉を加えてあれば、分離の心配はない。粉を入れずに作る場合は、アーモンドパウダーを先に少量加えるといい。

3 ②にアーモンドパウダーを加え混ぜ、レモンの皮、レモン汁、ラム酒、エッセンスを加え混ぜる。エッセンスは入れすぎないように。

4 このようにふわっとできれば上々。
＊冷蔵庫で3～4日間は保存できる。使うときは室温に戻し、充分攪拌して空気を含ませてから用いる。

アーモンドクリームを使ったタルト3種

タルト用生地とアーモンドクリームさえあればできる、飽きのこない魅力のタルトを3種類紹介しましょう。生地を半焼きにし、ジャムをぬっておくところまではすべて同じ。お好きなフルーツでいろいろ工夫してみてください。生地はシュクレでもブリゼでもどちらでも。

●あんずのタルト

材料（直径20cmのタルト型1台分）
パート・シュクレ（またはブリゼ）　約200g
あんずジャム　20〜30g
アーモンドクリーム　約300g
缶詰のあんず（生でもいい）　約300g
粉砂糖　適宜

右の「アーモンドのタルト」を参照し、生地を半焼きしてジャムをぬり、アーモンドクリームを詰める。適宜に切ったあんずをのせ、粉砂糖をふって180℃のオーブンで約30分焼く（写真）。生のあんずの場合は火を通すと酸味が増すので、粉砂糖を多めにふること。

●アーモンドのタルト

材料（直径20cmのタルト型1台分）
パート・シュクレ（またはブリゼ）　約200g
あんずジャム　約70g
アーモンドクリーム　基本の分量
スライスアーモンド　40〜50g

◆準備
・66ページを参照し、型の用意をしてパート・シュクレを敷き、約30分休ませる（ブリゼの場合は1時間以上休ませる）。
・オーブンは180℃に設定。

1 休ませた生地を180℃のオーブンで薄く色づく程度に半焼きにする（ブリゼの場合はアルミ箔でおおって半焼き）。まだ温かいうちに底にあんずジャム20〜30gをぬる。
2 直径約1cmの丸口金をつけた絞出し袋にアーモンドクリームを入れ、①に渦巻き状に絞り出して、縁までたっぷり詰める（写真**A**）。
3 表面全体にスライスアーモンドをふり、180℃のオーブンで約30分焼く（**B**）。
4 熱いうちに表面に残りのあんずジャムをぬって仕上げる。

●洋梨のタルト

材料（直径20cmのタルト型1台分）
パート・シュクレ（またはブリゼ）　約200g
あんずジャム　20〜30g
アーモンドクリーム　約300g
洋梨（缶詰でもいい）　約200g

左の「アーモンドのタルト」を参照し、生地を半焼きしてジャムをぬり、アーモンドクリームの半量を詰める。縦に薄く切った洋梨を放射状に並べてクリームに沈み込ませ、残りのクリームで表面をおおい、180℃のオーブンで約30分焼く（写真）。仕上げに、好みで粉砂糖をふる。洋梨はよく熟したものを使うこと。

りんごのタルト

りんごをバターで茶色になるまでいため、さらに砂糖でカラメリゼして味を凝縮させてから、タルトに詰めます。りんごから酸が出るので、フライパンはフッ素樹脂加工のものを使用してください。

材料（直径20cmのタルト型1台分）
パート・ブリゼ　約200g
アパレイユ
A ┌ 無塩バター　40g
　├ 紅玉りんご（正味）　400g
　└ きび砂糖　40g
B ┌ 牛乳　50mℓ
　├ バニラビーンズ　1/3本
　├ 生クリーム　50mℓ
　├ きび砂糖　30g
　├ 薄力粉　10g
　├ 卵　大1個
　└ カルバドス（りんごのブランデー）　大さじ1
仕上げ用きび砂糖　適宜
＊砂糖はカソナードでもいい。

◆準備
・66ページを参照し、型の用意をしてパート・ブリゼを敷き、1時間以上休ませる。
・紅玉りんごは縦八つ割りにし、皮と芯を除いて3～4mm厚さのいちょう切りにする。
・バニラビーンズは縦にさき、さやから種をしごき出しておく。
・オーブンは200℃に設定。

生地を半焼きにする

1 生地全体をアルミ箔でおおい、200℃のオーブンで薄く色づく程度に半焼きにする。熱いうちにBの卵をときほぐして内側に少量ぬり、オーブンに入れて乾かす（p.67参照）。残りの卵はとりおく。

アパレイユを作り、焼く

2 りんごをいためる。フッ素樹脂加工のフライパンを熱してバターをとかし、りんごを加える（写真**A**）。はじめは、水分が出ないくらいの強めの火加減にする。途中、少し火を弱め、全体が均一に茶色っぽくなるまでしっかりいためる。

3 Aのきび砂糖を加え混ぜ、カラメリゼさせ（砂糖が焦げてカラメル化することをいう）、火から下ろす（**B**）。

4 小鍋に牛乳を入れ、バニラビーンズのさやと種を加え、沸騰させない程度に沸かす。火から下ろしてバニラビーンズのさやを取り出し、生クリームを加え混ぜておく。

5 ボウルにきび砂糖と薄力粉を入れてよく混ぜ、残りの卵を加え、だまにならないように混ぜる。ここに④とカルバドスを加える。

6 ⑤に③のりんごを加え混ぜ、①のタルトに流し、180℃のオーブンで30分焼く（**C**～**D**）。

7 熱いうちにきび砂糖を全体にふり、乾いた刷毛で均一に広げてから、バーナーで焦がしてカラメリゼする（**E**）。バーナーがないときは、天板を2枚重ねて250℃ぐらいのオーブンの上段に短時間入れ、表面だけを焦がす。

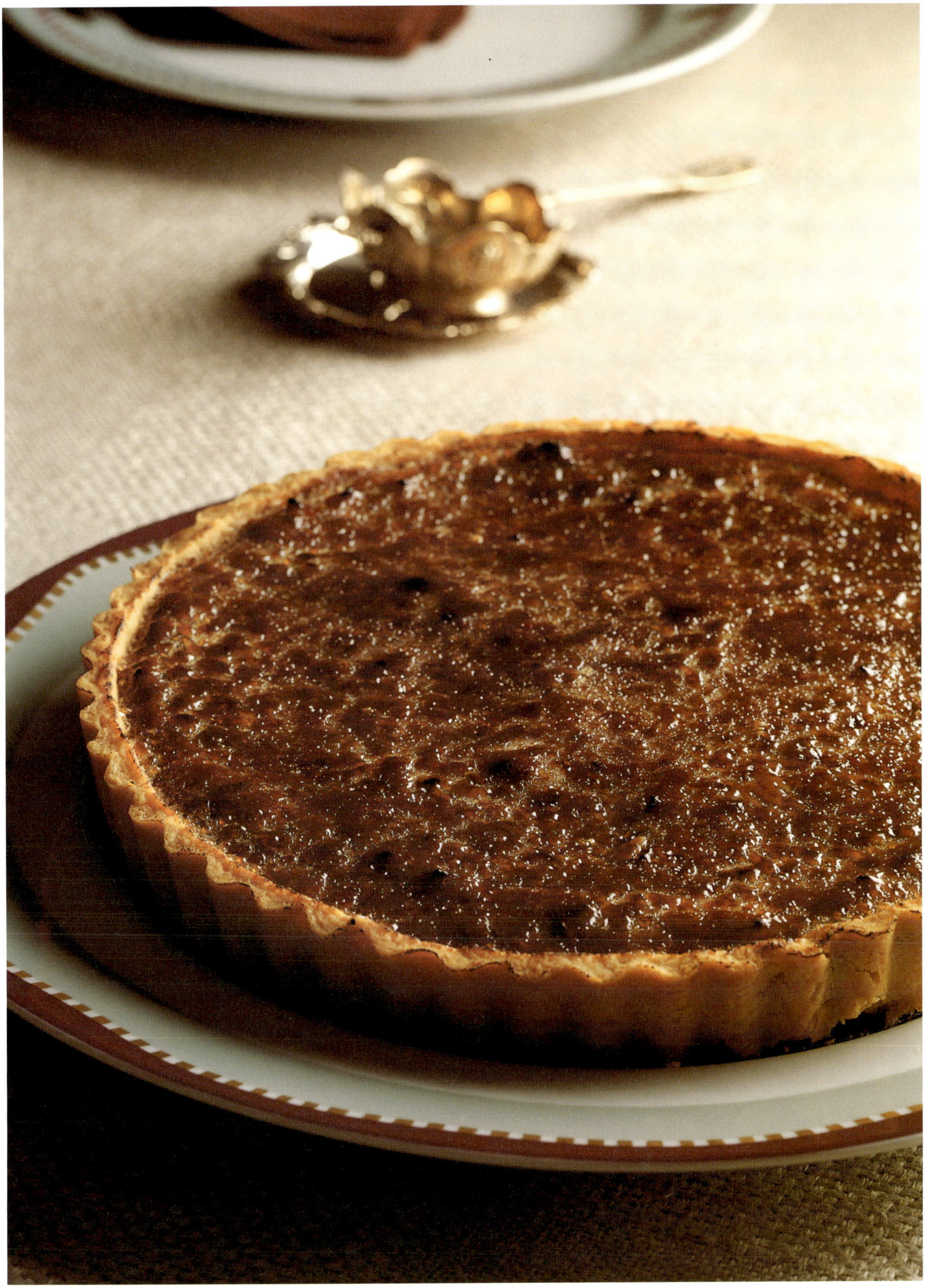

マロンのタルト

生の栗をバターで香ばしく焼いて、たっぷりのクリームとともにタルトに詰めて焼き上げました。砂糖は素朴な味のきび砂糖を。フランスのカソナードでもいいです。

材料（直径20cmのタルト型1台分）
パート・シュクレ（またはブリゼ）　約200g
卵白　少々
アパレイユ
A ┌ 無塩バター　20g
　│ むき栗　200g
　│ きび砂糖　50g
　│ 生クリーム　150ml
　└ バニラビーンズ　1/3本
B ┌ きび砂糖　10g
　│ コーンスターチ　10g
　│ 卵黄　2個分
　└ ラム酒　大さじ1
仕上げ用きび砂糖　適宜

◆準備
・66ページを参照し、型の用意をしてパート・シュクレを敷き、約30分休ませる（ブリゼの場合は1時間以上休ませる）。
・栗は二つか四つ割りにする。
・バニラビーンズは縦にさき、さやから種をしごき出しておく。
・オーブンは180℃に設定。

生地を半焼きにする

1 休ませた生地を180℃のオーブンで薄く色づく程度に半焼きにする（ブリゼの場合はアルミ箔でおおって半焼き）。まだ温かいうちに、よくほぐした卵白を内側に薄くぬり、オーブンで乾かす。

アパレイユを作り、焼く

2 フライパンを熱してバターをとかし、栗を入れて転がしながら表面に焼き色をつける。ここにAのきび砂糖を加え、カラメル状に色づいたら火を止める（写真**A**）。

3 小鍋に生クリームを入れ、バニラビーンズのさやと種を加えてゆっくり沸かし、さやを取り出して②に加え混ぜる（**B**）。

4 別のボウルにBのきび砂糖とコーンスターチを入れてよく混ぜ、卵黄、ラム酒を加え、なめらかに混ぜる。ここに③の液を少し加えて溶きのばしてから、これをフライパンに戻し入れ、均一に混ぜる（**C**〜**D**）。

5 ①のタルトに流し、表面にきび砂糖をふって180℃のオーブンで25〜30分焼く（**E**）。

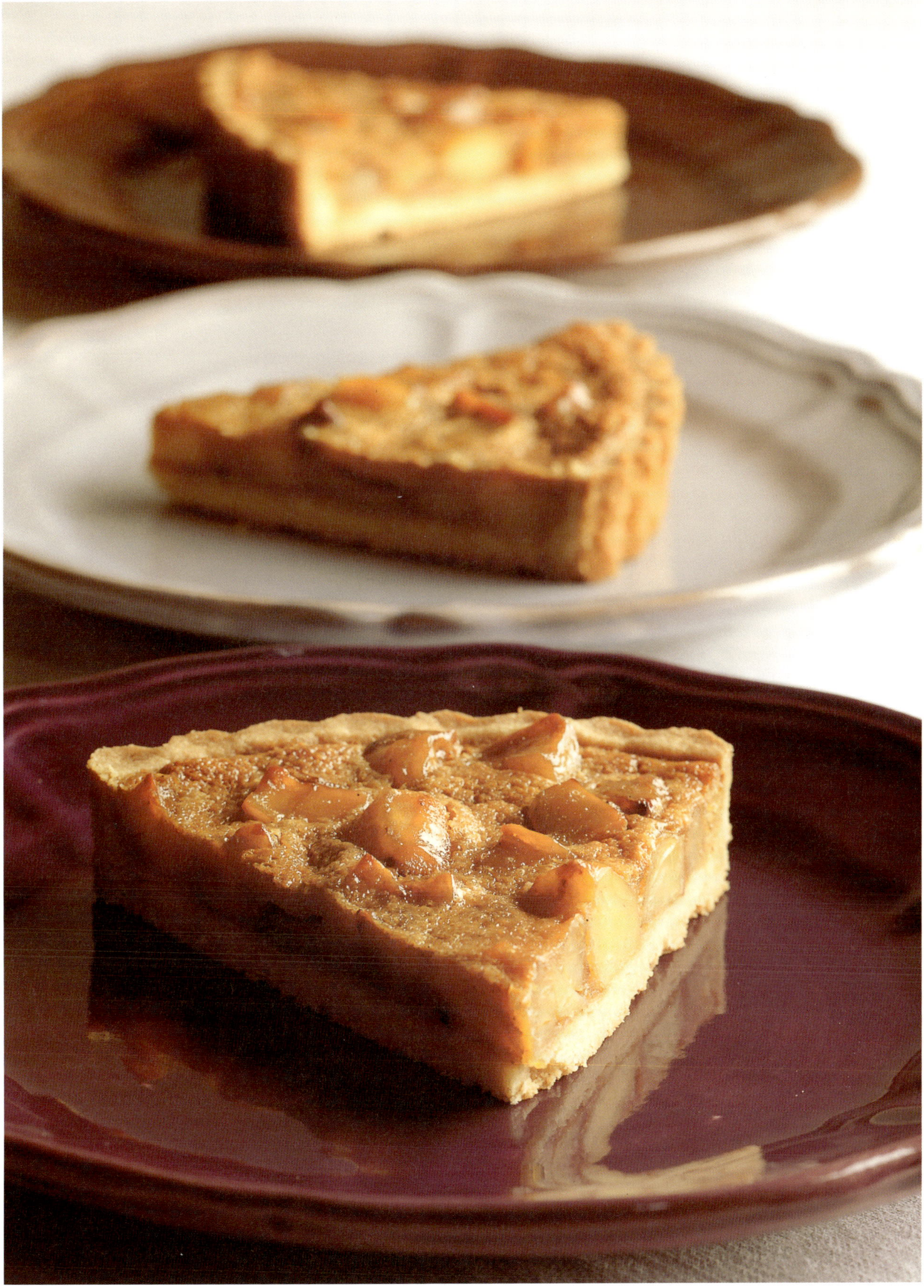

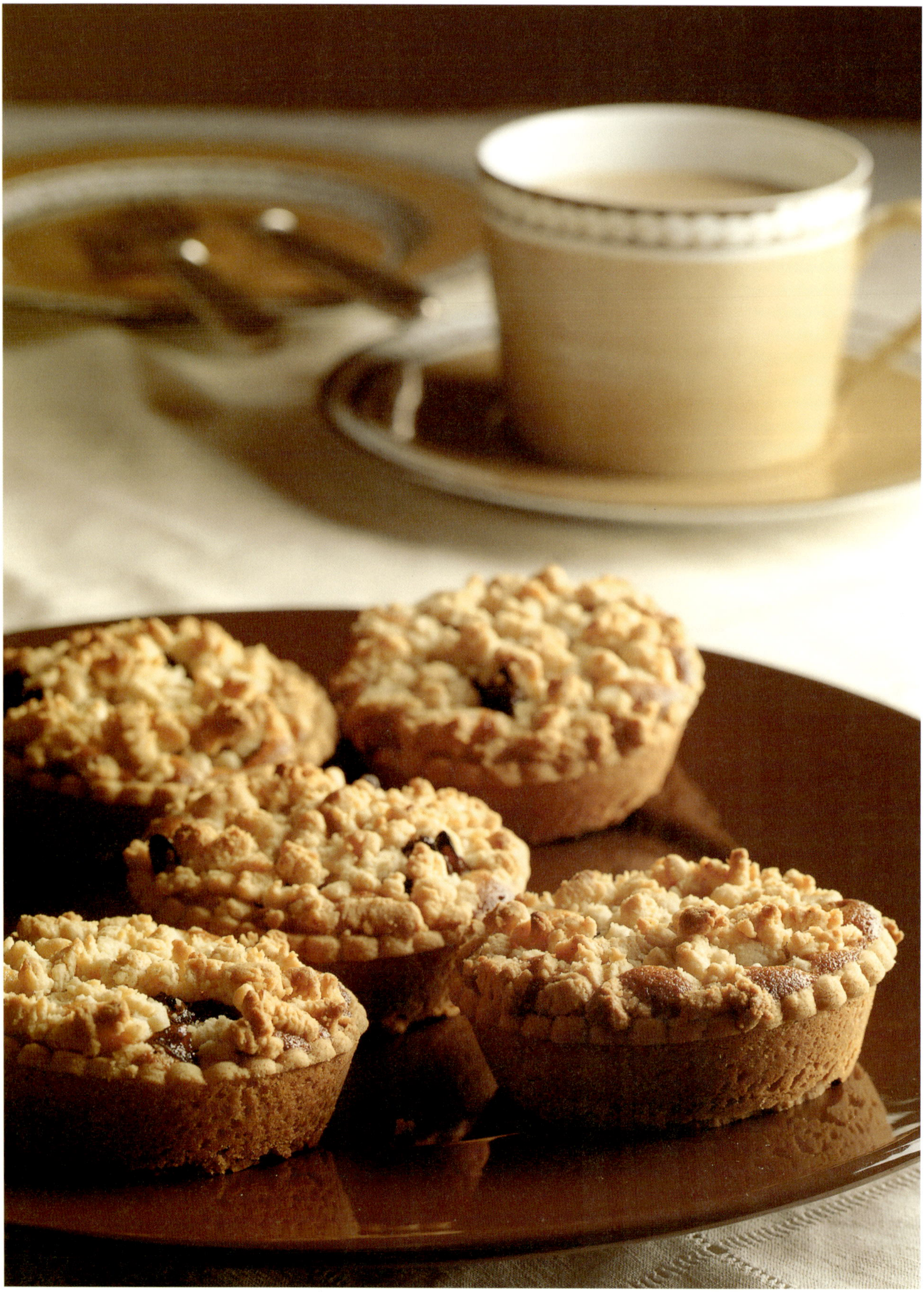

干しいちじくとプラムのタルトレット

干した果物の濃厚な味と、上にのせたサクッと香ばしいそぼろがとてもよく合った小さなタルトです。ここでは中に軽い口当りのアーモンドクリームを詰めましたが、基本のアーモンドクリームでもかまいません。

材料（直径7.5cmのタルトレット型約14個分）
パート・シュクレ　約400g（基本の分量）
干しいちじく　100g
干しプラム　100g
ラム酒　適宜
そぼろ
　無塩バター　30g
　粉砂糖　50g
　卵白　10g
　シナモンパウダー　少々
　アーモンドパウダー、薄力粉　各50g
アーモンドクリーム
　アーモンドパウダー　100g
　粉砂糖　100g
　薄力粉　20g
　卵　2個
　生クリーム　100mℓ
　ラム酒　適宜

◆準備
・タルトレット型にバター（分量外）をぬって冷やしてから、強力粉（分量外）をふる。
・パート・シュクレは3mm厚さにのばし、型よりも一回り大きな抜き型で抜いてタルトレット型に敷き込む（p.66参照）。
・バターはやわらかくしておく。
・干しいちじくとプラムをそれぞれ三つか四つ割りにし、ラム酒をふりかけておく。
・オーブンは180℃に設定。

そぼろを作る

1 ボウルにやわらかくしたバターを入れ、粉砂糖から順にすべての材料を加えて均一に混ぜ、一つにまとめて、冷蔵庫でしっかり固まるまで冷やす。
2 バットの上に粗い網をのせ、①を押しつけるように網目を通し、そぼろ状にする（写真**A**）。べたつかないように、使うまで冷蔵庫に入れておく。

中身を詰めて焼く

3 アーモンドクリームを作る。ボウルにアーモンドパウダー、粉砂糖、薄力粉を入れ、泡立て器でよく混ぜる。ここに、ときほぐした卵、生クリーム、ラム酒を順に加えてよく混ぜる。これを用意したタルトレットに流し分ける。
4 ③にいちじくとプラムを並べ、上に②のそぼろをたっぷりのせ、180℃のオーブンで約25分焼く（**B**〜**C**）。

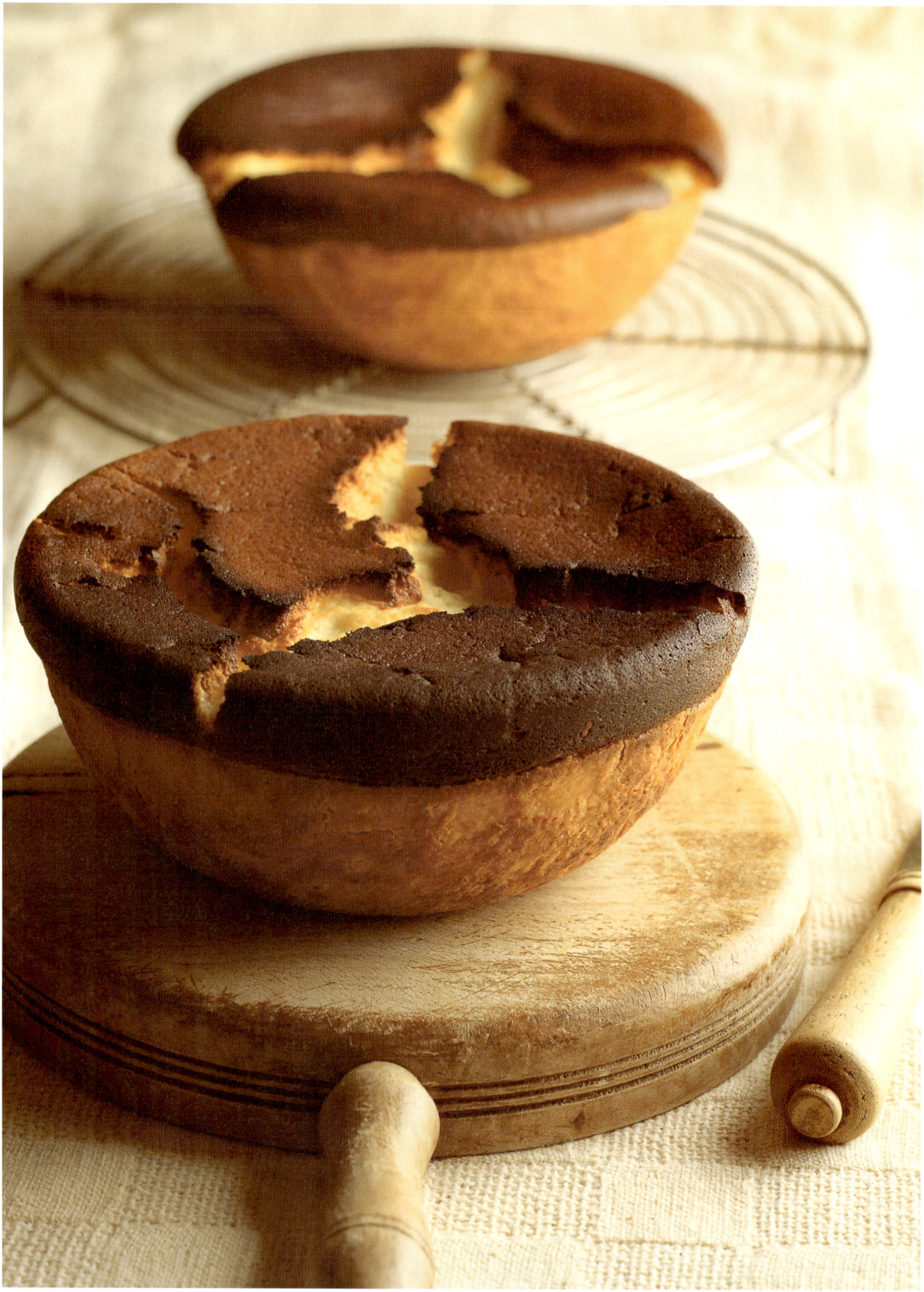

トゥルトー・フロマジェ

酸味のあるやぎ乳のチーズで真っ黒に仕上げるタルトをご存じですか。フランスのラ・ロシェルの辺りで食べた大量生産ではない、このトゥルトー・フロマジェの素朴なおいしさは格別でした。あちらではこの写真よりも、もっと炭のように真っ黒に焼き上げるのが伝統的な手法です。
酸味のあるやぎ乳のフロマージュ・ブラン（フレッシュチーズ）でこそのおいしさですが、手に入らなければ、牛乳のフロマージュ・ブランで作ってください。専用のトゥルトー型ではなく、私はアルミ製のボウルを利用しています。深めの丸型やタルト型などで工夫されてもいいでしょう。

材料（直径15cmのアルミ製ボウル1個分）

パート・ブリゼ　約150g
アパレイユ
- やぎ乳のフロマージュ・ブラン　120g
- 塩　ひとつまみ
- 砂糖　80g
- 卵黄　2個分
- レモンの皮のすりおろし　1/2個分
- レモン汁　小さじ2
- 薄力粉　20g
- コーンスターチ　20g
- 卵白　2個分

◆準備

- ボウルに生地を敷き込む（写真**A**）。深さがあるので、縁から1cm下でカードを使って生地を切り取る。その後、フォークで空気穴をあけ、冷蔵庫で1時間以上休ませておく。
- 砂糖は半分に分けておく。
- 薄力粉とコーンスターチは合わせてふるっておく。
- オーブンは230〜250℃に設定。

1 ボウルにフロマージュ・ブランを入れ、塩、砂糖の半量、卵黄、レモンの皮、レモン汁を順に加え、泡立て器でよく混ぜる（**B**）。ここに合わせておいた粉をふるいを通して加え混ぜる。

2 卵白に残りの砂糖を3〜4回に分けて加えてしっかりしたかたいメレンゲを作り（p.24参照）、まず、1/3量を①に加え、よく混ぜる（**C**）。

3 残りのメレンゲを加え、泡立て器で均一に混ぜる。用意しておいた型にゴムべらで流し入れ、霧を吹いて230〜250℃のオーブンに入れて40〜50分焼く。表面は真っ黒に、底は焼きすぎないように温度調節して焼き上げる。

4 オーブンから出したばかりのときは、中央が盛り上がっている（**D**）。

5 表面にキッチンペーパーをかぶせ、網をのせて逆さにし、型からはずして、冷めるまでそのままおく（**E**）。このようにふせておかないと、表面中央が下がってしまう。

タルト・オランデーズ

オランダ風タルトと名づけられたこのタルトは、元々は大きな円盤状に作るものなのですが、生地に無駄が出ないように、ここでは四角のままクリームを包んで焼きました。こういう自由がきくのも、フイユタージュならではのことです。中に詰めたのは、干しあんずとレーズン入りのアーモンドクリーム。上にはマカロン生地をぬって焼きます。マカロンがカリッとした口当りに焼き上がり、はらりとした生地やクリームとのバランスも最高です。
このお菓子は日もちもし、形もくずれにくいので、プレゼントにも向いています。

材料（25×8cmのもの2本分）
フイユタージュ・ラピッド　約200g
アーモンドクリーム（p.68参照）　基本の½量
ラム酒漬けレーズン　50g
干しあんずのシロップ煮
　干しあんず　40g
　水　大さじ1
　砂糖　大さじ1
マカロン生地
　アーモンドパウダー　30g
　粉砂糖　30g
　卵白　25g
仕上げ用粉砂糖　適宜

◆準備
・フイユタージュは約30×30cmにのばし、冷蔵庫で2〜3時間休ませて2等分する。
・干しあんずはレーズンに合わせて刻む。小鍋に分量の水と砂糖を入れて火にかけ、あんずを加えて水分がなくなるまで煮からめ、冷ましておく。
・天板にオーブンシートを敷いておく。
・オーブンは200℃に設定。

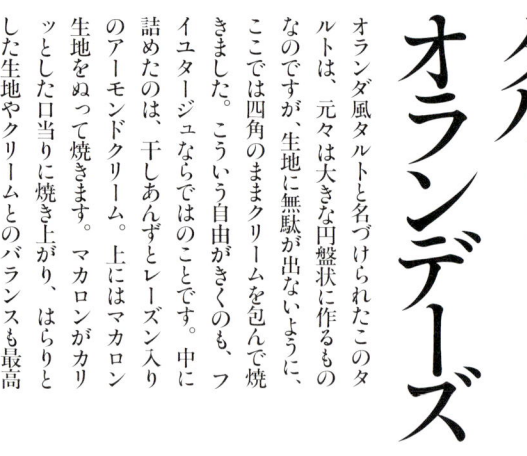

アーモンドクリームを作る
1 68ページを参照し、基本の分量の半量でアーモンドクリームを作り、準備しておいたあんずとレーズンを混ぜる。

クリームを包む
2 厚手のポリ袋を切り開いたポリシートを2枚用意し、フイユタージュを1枚ずつ横長におく。
3 直径1.5cmの丸口金をつけた絞出し袋に①のクリームを詰め、②の生地の両端2cmぐらいを残し、真ん中に2列絞る（写真**A**）。
4 生地の上下端を指先で押さえて薄くしてから、クリームを包むようにして折りたたみ、中心で重ねる。合せ目は、水でしめらせて密着させる（**B**）。このとき、クリームと生地の間に空気が残らないようにすること。
5 左右両端の生地を押さえて薄くし、角を斜めに少し切り落とす（**C**）。ここを水でしめらせて内側に折りたたみ、密着させる。
6 オーブンシートを敷いた天板に⑤をポリシートごと移動して、合せ目が下になるように裏返しにおく。

マカロン生地をぬって焼く
7 マカロン生地を作る。小さなボウルにアーモンドパウダー、粉砂糖を入れてよく混ぜ、卵白を加えて均一に流れないくらいまで練る。かたいと生地をいためるので、足りないときは卵白を少し足す。
8 ⑦を⑥の表面に平均にぬり、粉砂糖をたっぷりふり、ナイフの背で斜めに筋をつける（**D〜E**）。
9 200℃のオーブンで約25分、途中、焼き色を見ながら調節して焼き上げる（**F**）。いただくときは、筋目にそって切り分ける。

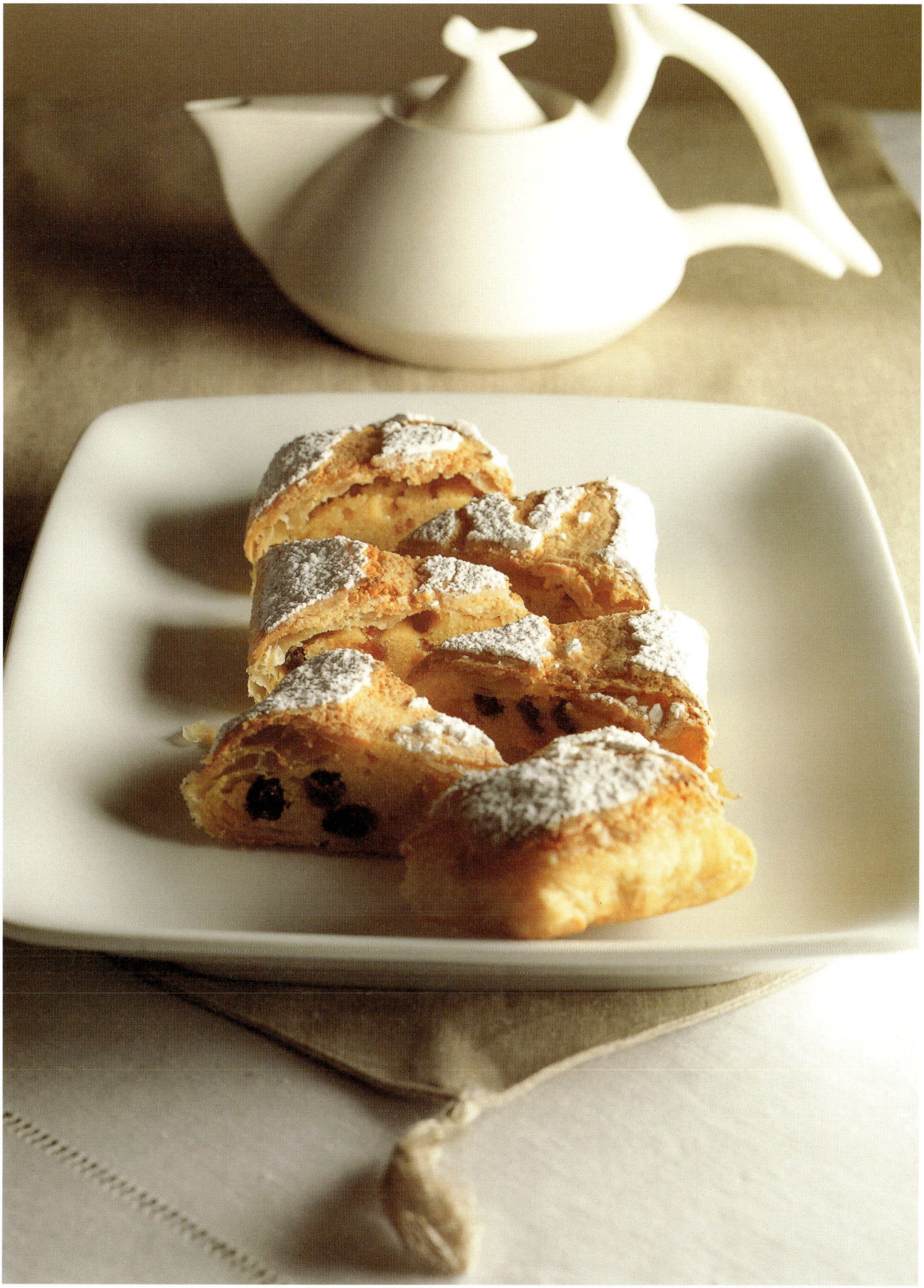

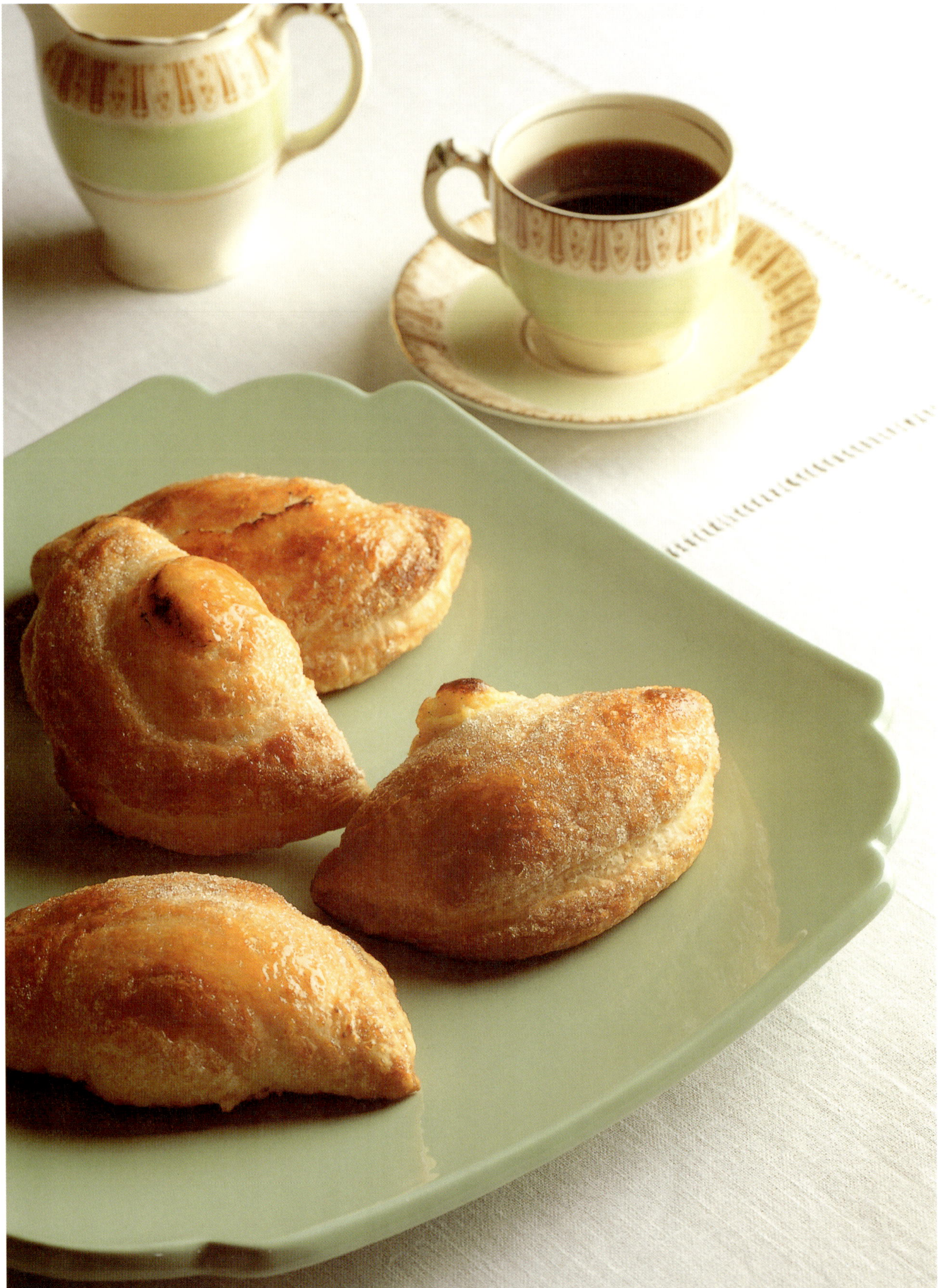

ビション・ア・ロランジュ

これも形の自由がきくフイユタージュならではの、南フランスのお菓子。生地ははじめに渦巻き状に巻いてから輪切りにし、それを長円形にのばします。この中にオレンジ風味のカスタードクリームを包んで焼き上げます。一見、クリーム入りクロワッサンのようですが、もっとずっと口当りが繊細。ちょっとイタリアのナポリターナにも似ています。カスタードクリームは小麦粉で作ると焼いている間に吹き出やすいため、上新粉に替えて作ります。

材料（12個分）
- フイユタージュ・ラピッド　約520g（基本の分量）
- 生地に敷く砂糖　大さじ2
- カスタードクリーム
  - 牛乳　200ml
  - バニラビーンズ　1/3本
  - 砂糖　40g
  - 上新粉　20g
  - オレンジの皮のすりおろし　1個分
  - 卵黄　2個分
  - 好みのリキュール　大さじ1
- 仕上げ用砂糖　適宜

◆準備
- フイユタージュは25×40cmにのばし、厚手のポリ袋を切り開いたポリシートにのせて冷蔵庫で2～3時間休ませる。
- 92ページを参照してカスタードクリームを作り、冷ましておく（薄力粉を上新粉に置き換え、オレンジの皮は卵黄と一緒に加える。バターは加えない）。
- 天板にオーブンシートを敷いておく。
- オーブンは200℃に設定。

生地を楕円形にする

1 生地はポリシートにのせたまま、横長におく。表面に砂糖をふって、乾いた刷毛で全体に広げる（写真**A**）。

2 ①を手前からぐるぐると巻き、端から12等分に切る（**B**）。

3 切り口を上にして手にとり、巻終りの生地の端を引っ張るようにして切り口にかぶせ、指でしっかり押さえる（**C～D**）。

4 ③の生地をてのひらで押しつぶしてから、めん棒で12×15cmぐらいの長円形にのばす（**E**）。

＊生地に砂糖をふると、砂糖が溶けてシロップ化し、巻きにくくなるので手早く作業する。

クリームを詰め、砂糖をまぶして焼く

5 直径約1cmの丸口金をつけた絞出し袋にクリームを入れ、生地の中央に丸く絞り出す（**F**）。

6 ⑤の生地を手前を5mmぐらい控えて二つ折りにし、クリームをはさむ（これを上面とする）。周囲の生地をクリームがもれないように軽く押さえておく。

7 上面に砂糖をまぶしつけ、オーブンシートを敷いた天板に並べ、200℃のオーブンで22～25分焼く。

＊上面の砂糖がカラメル化するように焼くこと。色づきが悪いようならば、上段に入れて温度を上げ、下には天板を重ねて下火を抑えるなどの工夫をする。

ポンポン・オ・ショコラ

ポンポン型で作った小さな球形のタルトです。中にはチョコレート入りのアーモンドクリームを詰めて生地でふたをし、さらにキャラメルチュイル生地をのせて焼きました。キャラメルチュイル生地がかりっと焼き上がり、中のクリームや層になった生地との相性も抜群です。このように薄くしても破れにくく、ふたもできるのは、とても自由のきくフイユタージュならではのこと。これは余り生地を集めたものでもいいです。普通のタルトレット型で作ってもかまいません。

材料（直径5.5cmのポンポン型約10個分）
フイユタージュ・ラピッド　250g
チョコレート入りアーモンドクリーム
　無塩バター　50g
　粉砂糖　50g
　薄力粉　10g
　卵　1個
　アーモンドパウダー　50g
　ラム酒　大さじ1
　チョコレート　50g
卵白　少々
チュイル生地
　スライスアーモンド　20g
　粉砂糖　10g
　卵白、無塩バター　各5g

◆準備
・型に薄くバター（分量外）をぬる。生地を1mm厚さにのばして型よりも二回り大きい型で抜き、型に敷き込んで空気穴をあける。はみ出た生地は、後でふたをかぶせるので切らずにそのままにする。残りの生地をまとめてのばし、ふた用に型よりも一回り大きく抜いておく。型、ふた用生地ともに冷蔵庫で休ませるが、薄い生地なので1時間ぐらいでいい。
・オーブンは180～200℃に設定。

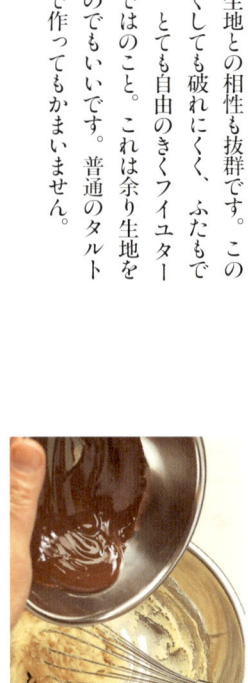

チョコレート入りアーモンドクリームを作る

1 68ページを参照し、チョコレート以外の材料でアーモンドクリームを作る。
2 チョコレートは刻んで、湯せんでとかし、粗熱が取れたら①のクリームと混ぜる。すぐに直径1cmの丸口金をつけた絞出し袋に入れて、生地を敷いた型の8分目まで絞り入れる（写真**A～C**）。
3 周囲の生地に薄く卵白をぬり、ふた用の生地をクリームとの間に空気が残らないようにかぶせる（**D**）。周囲を密着させた後、余分は指で押さえて型にそって取り除く。

チュイル生地を作ってのせ、焼く

4 小さなボウルにスライスアーモンドと粉砂糖を入れてよく混ぜ、ここに卵白、とかしたバターを加えてよく混ぜる。これを③の表面に平らに広げる（**E**）。
5 180～200℃のオーブンに入れ、25分ぐらいで色よく焼く。

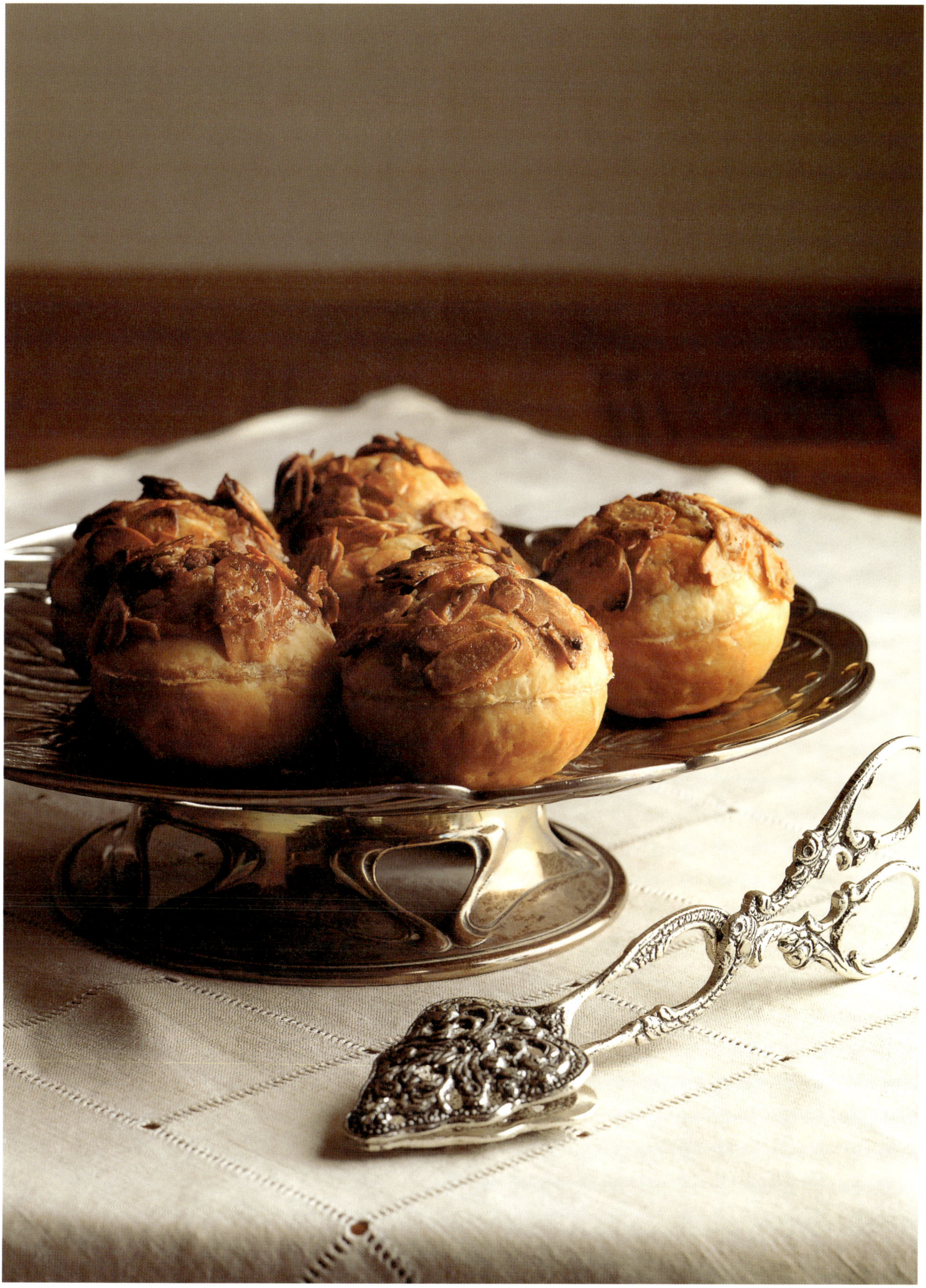

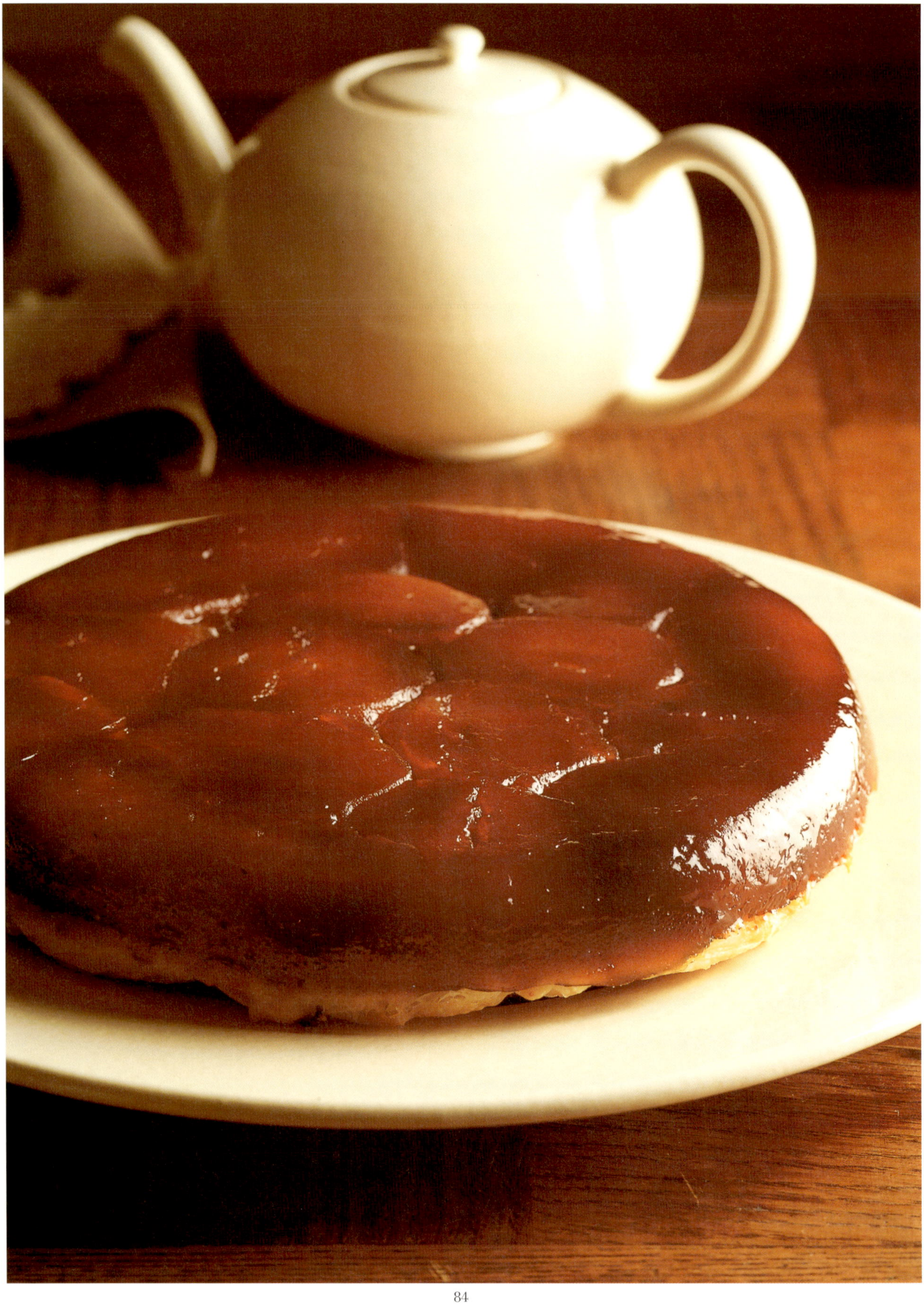

タルト・タタン

タルト・タタンは、フランスのどこのレストランでも見かけるくらいにおなじみのお菓子ですが、いざ作ろうとすると、フランスのレシピではりんごが煮つまったように仕上がらず、うまくいきません。なぜなら、日本のりんごがフランスに比べてとても水分が多いからです。

ここに、日本のりんごに合った方法を紹介しましょう。

●はじめにカラメルを作って型に入れ、りんごをぎっしり並べて型ごと火にかけます。こうすると、りんごからたっぷり汁が出てカラメルが薄まります。この薄まった液だけを取り出し、水分を飛ばして煮つめるのがポイント。これをりんごが入った型に戻して、生地でふたをし、今度はオーブンで焼き上げるのです。

●りんごは酸味も強く、身がしまっている紅玉を使います。ペクチン分の多い新鮮な紅玉で作ると、和食の煮こごりのように煮汁がつやつやと固まり、いかにもおいしそうに仕上がります。ただ、紅玉も鮮度が落ちたり、盛りが過ぎるとペクチン分が少なくなって、成功しなくなります。タルト・タタンの出来、不出来はりんごに左右されるのです。一年のうちで紅玉の出盛りは一時ですが、そのときだけの煮つめたりんごのおいしさを存分に堪能してください。生地はサクッとした口当りのフイユタージュ・ラピッドがよく合います。

● タルト・タタンの由来は？

タルト・タタンの由来には「昔、タタン姉妹がりんごのタルトを作ろうとして、うっかりひっくり返してしまった。そこで、そのまま逆さに焼いたら、下にたまった砂糖がりんごにしみて、あめ色のりんごの香ばしいお菓子になった……」というものや「生地を敷かずに焼いてしまったので、あわててのせて後で逆さにした……」など、いろいろな説があります。

3 ちょうどいい色合いになったら、バターを加え混ぜる。

4 バターを入れるとぶくぶくと沸騰する。

5 ④をすぐに型に流す。

りんごを詰めて型のまま火にかける

6 型にりんごを詰める。側面にはりんごの背が当たるように立てて入れ、底は背を下にしてすきまがないようにぎっしり詰める。残りは上にきっちり詰める。

材料（直径22〜24cmのフッ素樹脂加工のマンケ型1台分）
フイユタージュ・ラピッド　200g
紅玉りんご（小さく身がしっかりしているもの）　1.2kg
カラメル
　砂糖　250g
　水　少々
　無塩バター　100g
＊型はフッ素樹脂加工のものを使うこと。
ブリキ製はりんごの酸で侵され、金気が移ってしまう。
柄をとりはずせるフライパンを使用してもいい。

◆準備
・フイユタージュは型よりも2cmぐらい大きい円形にのばし、2〜3時間冷蔵庫で休ませておく。
・紅玉は四つ割りにし、皮と芯を除く。

カラメルを作り、型に流す

1 深めの鍋に砂糖を入れ、指先で水をふりかけて、中火にかける。しばらくすると部分的に砂糖が溶けてくるので、全体の1/3程度が溶けるまでそのままにし、それまでは鍋をさわらず、見ているだけにする。

2 薄く色づいてきたら、鍋を動かして全体を溶かす。さらに煮て濃い色が少しつきはじめたら、すぐに火から下ろし、余熱でちょうどいいカラメル色にする。
＊ここで焦がし足りないとカラメルの風味が乏しく、また、焦がしすぎると苦くなる。目的の色よりも控えめで火からはずし、余熱で焦がして調節すること。

生地をかぶせて焼く

11 冷蔵庫から生地を出して、上にかぶせる。

12 周囲をフォークの柄で型とりんごの間に手早く押し込む。ぐずぐずしていると生地がゆるんで扱えなくなる。表面にフォークで空気穴をあける。

13 ⑫をオーブンに戻し、生地に火が通るまで20〜30分焼く。焼き上がったら型のまま冷ます。型からはずすときは底を少し温め、皿をかぶせて、皿ごと逆さにして裏返す。

7 型より一回り小さい鍋ぶたをして、型のまま弱めの中火にかける。この時点でオーブンを250℃に温めはじめる。

煮汁を別鍋で煮る

8 上側のりんごがくったりとし、充分煮汁が出たら、ふたで押さえながら煮汁だけを片手鍋にあける（りんごによって水分の出方はかなり異なる）。

9 ⑧の片手鍋を中火にかけ、へらでかいたときに鍋底が見えるくらいまで焦がさないように煮つめる。この間、りんごの入った型はオーブンに入れ、さらに水分をとばしておく。

よく煮つめた煮汁を
りんごの型に戻す

10 煮つめた汁を型に戻す。へらでりんごをずらしながら、煮汁が型の底や周囲に行き渡るようにする。

シュークリーム ➡ p.90

特別な生地 シュー生地のなぜ

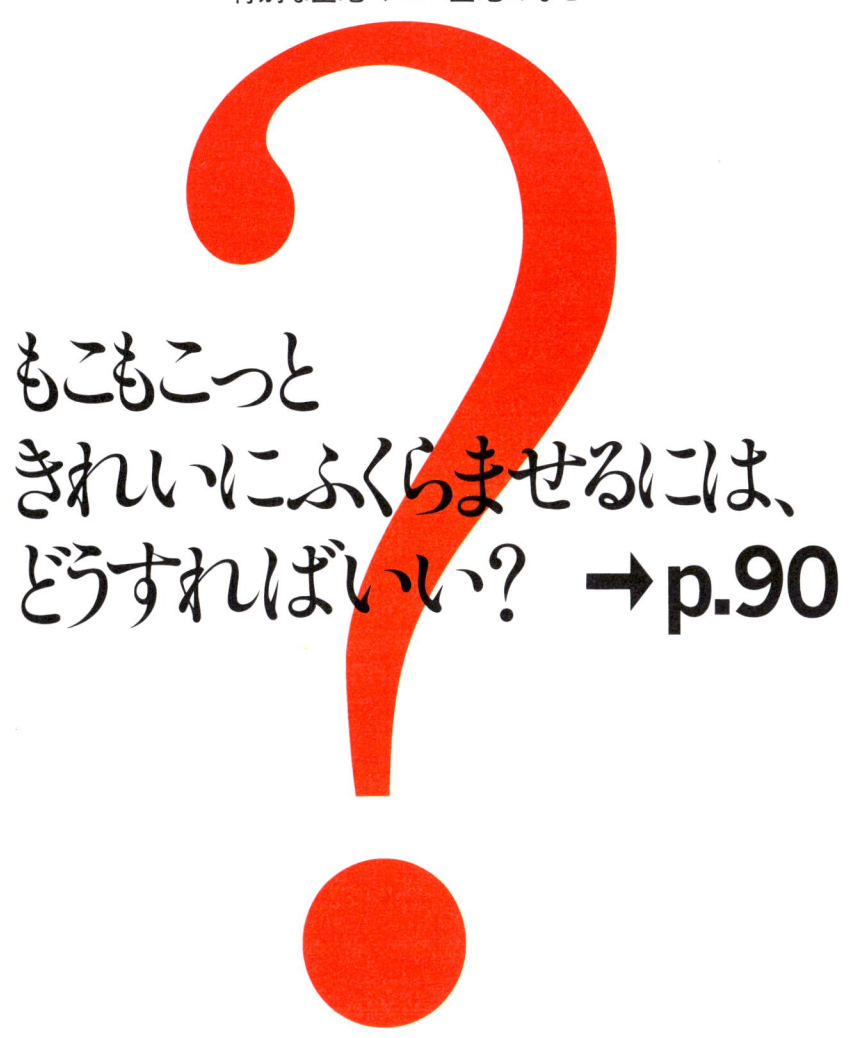

もこもこっときれいにふくらませるには、どうすればいい？ →p.90

なぜ空洞になるの？ →p.90

きれいにふくらまない！ →p.91

ちょうどいい生地のかたさは？ →p.91

カスタードクリームが粉っぽくなってしまう！ →p.92

クリームをチョコレート味にするときは？ →p.92

シュー生地は？

シュー生地は小麦粉に熱を加えて生地を作り、焼き上がるとちょっと違った、ほかの生地とは違った大きな空洞ができる、ほかの生地とはちょっと違った生地です。

●なぜ空洞ができるかというと、はじめに水とバターを沸騰させたところに粉を混ぜることで粉に熱が入り、糊化します。そこに卵が加わって、とても粘りのある、のりのような生地に仕上がります。この粘りのある生地を加熱すると、生地内部に生じた水蒸気が膨張し、ゴム風船のようにふくらみます。それで空洞ができるのです。

●成功のかぎは、いかに粘りのある生地を作るかです。それには、段取りよく作業できるように準備しておくことがとても大事。

ここで紹介するシュー生地は、粉に対してバターの多い配合なので、皮は厚かりさっと香ばしく焼き上がります。しっかりした皮なので、クロカン・ブッシュのようにあめがけして積み重ねるなど、シュークリーム以外のお菓子にも応用できます。

材料（約24個分）
無塩バター　60g
水　80ml
塩　ひとつまみ
砂糖　小さじ½
薄力粉　70g
卵　2½〜3個

◆準備
・粉はタイミングよく一度に加えるために、鍋よりも口の小さい器に入れておく。
・直径14〜15cm、深さ8〜9cmぐらいのすべりのいい片手鍋を用意する。行平鍋のような広口で浅い鍋は不向き。
・天板にアルミ箔を敷き、薄くバター（分量外）を刷毛でぬり、キッチンペーパーで全体に薄くのばす。バターが多いと焼いている間に生地がすべって形が悪くなる。また、少なすぎると底がくっつく。

粉を入れたら3秒で火から下ろす

1 用意した片手鍋にバター、分量の水、塩、砂糖を入れて弱火にかける。

2 バターがとけたら火を強くし、吹き上がってきたら粉を一度に入れる。

3 手早く木べらで混ぜ、粉を入れてから3秒で火から下ろす（この段階では、粉が混ざりきっていなくていい）。

4 火から下ろした後も、そのままさらに混ぜ続ける。

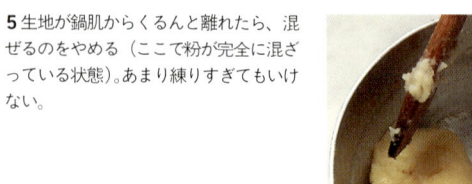

5 生地が鍋肌からくるんと離れたら、混ぜるのをやめる（ここで粉が完全に混ざっている状態）。あまり練りすぎてもいけない。

生地を絞って焼く

10 休ませた生地を直径1cmの丸口金をつけた絞出し袋に入れ、用意した天板に直径3.5〜4cmに丸く絞る。間隔は5cmぐらいあけること。

11 絞り終りがとがっているようなら、水でぬらした指先でそっと押さえる。もし形が悪いときは、このときに直す。表面にたっぷりと霧を吹き、200℃のオーブンに入れ、25〜30分、色よく焼く。

卵を少しずつ加える

6 卵をよくほぐし、⑤がまだ温かいうちに少しずつ加えて木べらで混ぜる。一度にたくさん加えると混ざりにくい。

7 少しずつ卵を入れ、生地となじんだらまた次を加える。必ず様子を見ながら入れること（うっかり加えすぎたら、混ぜないうちに戻す）。はじめのうちは生地がしまってくるが、途中から急にやわらかくなるので注意する。

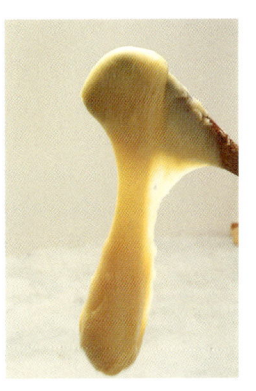

ちょうどいいかたさで卵をストップ

8 卵はすべて使わずに、ちょうどいいかたさでストップする。写真のように、へらで生地をたっぷりすくい上げてへらを起こしたときに、3秒ぐらいでバサッと生地が落ちるくらいのかたさにする。

生地を休ませる

9 乾燥しないようにラップフィルムでおおって30分ほど休ませる。この間にオーブンを200℃に温めておく。

● きれいにふくらまない！（←p.89）

火の入れ方と粉の混ぜ方がポイントです。この配合はバターが多いので、粉を入れてから火にかけすぎるとバターが分離してしまい、空洞ができないことがあります。多少粉っぽさがあっても、3秒で火から下ろしてください。その後、くるんと鍋底から離れるまでよく混ぜることが大事です。

● ちょうどいい生地のかたさは？（←p.89）

生地をへらでたっぷりすくい上げて起こしたときに「バサッと3秒ぐらいで落ちる」状態がちょうどいいかたさです。するするリボン状に垂れるのはやわらかすぎ。焼くと平たくなってしまいます。ここで卵液が残っていても、加えるのをやめてください。卵を入れすぎると生地がだれてしまい、足りないとかたすぎてふくらみが悪くなります。

● 焼く前に生地を休ませるのは？

生地はすぐに焼かずに、少し休ませると、焼いたときのふくらみがよくなるからです。

● 焼きかげんは？

最初の数分間は変化はありませんが、しばらくすると、もこもこふくらみはじめます。それまではオーブンは開けないでください。全体で25〜30分ぐらいかけて、サクッと香ばしく焼きます。焼きが足りないと湿っぽくなり、ナイフが入らなくなります。くぼみや横など焼きにくいところも色よくなるまで焼きましょう。

シューのクリーム、カスタードクリーム

カスタードクリームを作るうえで、いちばんわかっていただきたいことは"煮て作るクリーム"だということです。粉っぽさが残るような煮方では足りません。つやがあるクリームにするには、粉をよく煮る必要があります。ですから、最初から卵黄も混ぜて材料を煮る製法はあまり感心しません。粉をよく煮ようとすれば卵黄に火が入りすぎ、卵黄をちょうどよくすれば粉の煮方が足りず、のりのようなクリームになってしまうからです。

● ここで紹介する方法は違います。はじめに粉くささがなくなるまで充分煮てから、卵黄を加えます。粉っぽさもなく、卵黄にはちょうどよく火が入り、つやのあるクリームができます。

● 煮る道具は、24cmぐらいの柄の短いしっかりした泡立て器とステンレスボウルを使います。鍋で煮るのはだめです。鍋底の隅に混ぜて残りができて焦げついてしまいます。その点、ステンレスボウルならば、じか火にかけられ、泡立て器で絶えず混ぜても大丈夫です。

材料（でき上り600g分、90ページのシュー約24個分）
牛乳　400ml
バニラビーンズ　½本
砂糖　100g
薄力粉　50g
卵黄　6個分
無塩バター　30g
好みのリキュール　大さじ2

◆準備
・卵黄はくずさずに、水でぬらした器に入れておく（器が乾いていると卵黄がくっついてしまう）。
・バニラビーンズは縦にさき、ナイフで中の種をしごき出す。さやも種と一緒に牛乳に入れておく。

クリームはまず身側にたっぷり絞り、次にふた側にも少し絞ってからふたをする。

● **カスタードクリームが粉っぽくなってしまう！（←p.89）**
はじめに粉と砂糖と牛乳をよく煮れば、粉気はなくなります。絶えず混ぜて焦げつかせないようにしましょう。

● **クリームをチョコレート味にするときは？（←p.89）**
カスタードクリームがまだ熱いうちに、刻んだチョコレート（基本の分量で約100g）を混ぜてとかします。

● **クリームをきれいに詰めるには？**
クリームは冷めるとかたくなるので、必ず泡立て器で混ぜてなめらかにしてから詰めてください。スプーンで詰めてもかまいませんが、絞り出すほうが効率よく、きれいにできます。

● **卵黄を入れたらどのくらい煮る？**
卵黄を加えたら煮すぎないようにします。火を入れるのはだいたい50秒を目安に。煮すぎると、もそっとして口当りが悪くなります。

5 すぐに火に戻し、卵黄に火が通るまで混ぜながら煮る（この間、約50〜60秒）。ここで煮すぎないように気をつける。煮すぎるとぼそっとしてしまう。

6 火からはずし、バターを加え混ぜる。

7 リキュールを加え混ぜ、ラップフィルムで乾かないようにおおって冷ます。

シューに詰める

8 シュー皮をナイフでふた3、身7の割合に切り離す。クリームをなめらかになるまで混ぜてから、好みの口金をつけた絞出し袋に入れて身側に絞る。ふた側にも少し絞ってふたをする。

砂糖と粉と牛乳を煮る

1 バニラビーンズを入れた牛乳を弱火で沸かし、50℃に冷ましておく。ボウルに砂糖と粉を入れてよく混ぜ、牛乳を注ぎ入れる。だまができないように、泡立て器でよく混ぜ合わせる。

2 厚手のステンレスボウルに受けながら、①をストレーナーでこす。

3 ボウルのまま中火にかけ、泡立て器で絶えず混ぜながら、底が焦げないように煮る。粉っぽさがなくなり、つやが出るまで煮たら火からはずす（目安は、ふつふつとしてから約3分）。

卵黄を入れ、仕上げる

4 すぐに卵黄を一度に加えて、手早く混ぜる。

目次を兼ねた さくいん ?

基本の生地1 スポンジ生地 p.14

- 共立て法 **ジェノワーズ p.15**
  - アーモンドパウダー入りジェノワーズ p.20
  - ココア入りジェノワーズ p.21
  - ロールケーキの生地 p.38
    - いちご入りロールケーキ p.39
    - ディプロマットクリーム p.40
- 別立て法
  - ビスキュイ
    - チョコレート入りビスキュイ p.22
    - バナナのビスキュイ p.23
    - ビスキュイ・ア・ラ・キュイエール p.42
    - マジパンのケーキ p.44

* デコレーションのクリーム p.26
  - クレーム・シャンティイ p.32
  - クレーム・オ・ブール p.34
  - クレーム・ムスリーヌ p.35
  - ガナッシュ p.36
  - パータ・グラッセ p.37

基本の生地2 バターケーキ生地 p.46

- カトルカール p.48
- **別立て法 p.50**
  - 全卵すり込み法 p.52
    - ドライフルーツ入りバターケーキ p.54
  - 共立てジェノワーズ法 p.53
    - マーブル模様のバターケーキ p.55
  - シャラント風 p.53
    - ガレット・シャランデーズ p.56

タルト用生地 p.58

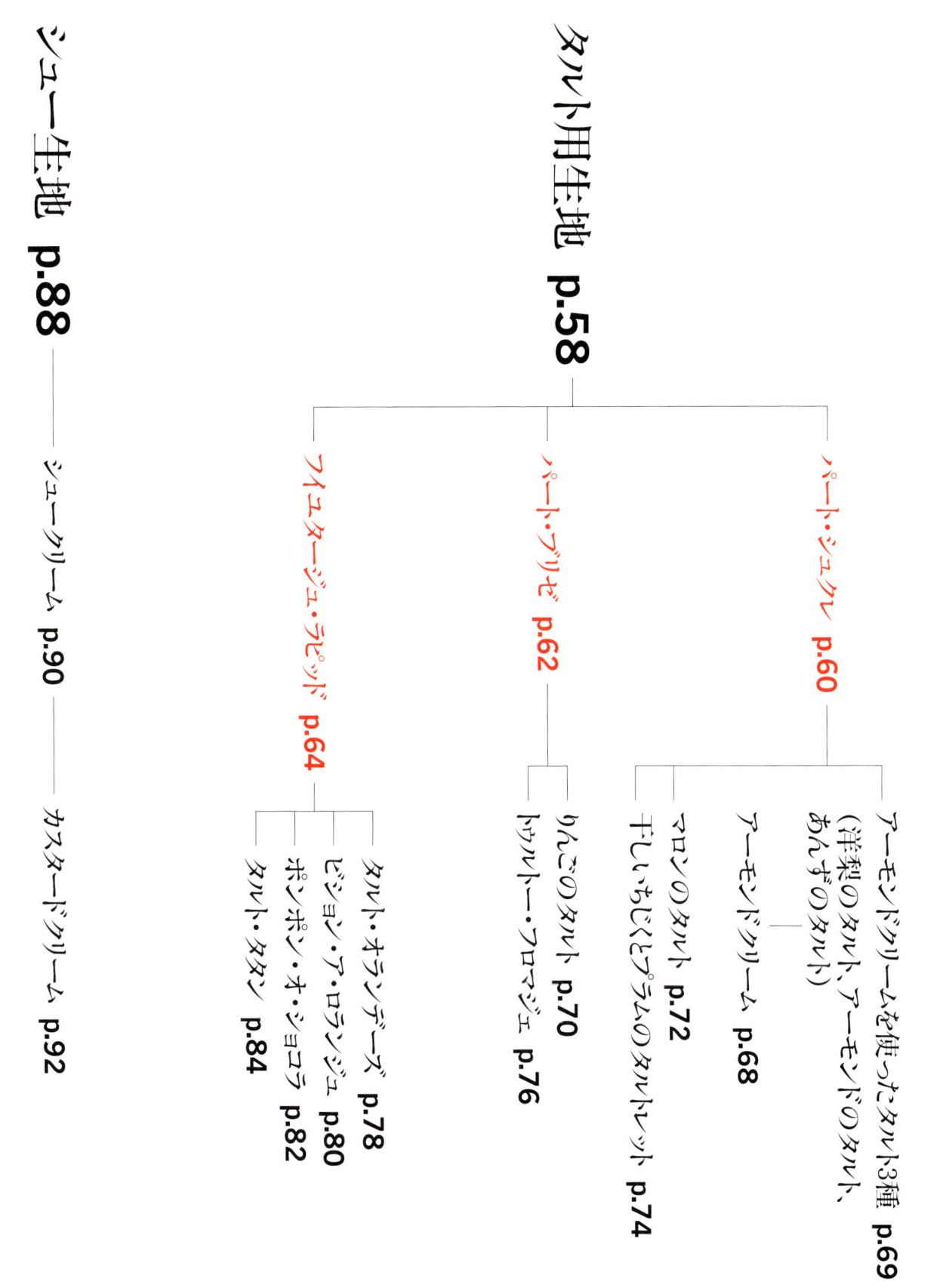

- **パート・シュクレ p.60**
  - アーモンドクリームを使ったタルト3種（洋梨のタルト、アーモンドのタルト、あんずのタルト） p.69
  - アーモンドクリーム p.68
  - マロンのタルト p.72
  - 干しいちじくとプラムのタルトレット p.74
- **パート・ブリゼ p.62**
  - りんごのタルト p.70
  - トゥルト・フロマジュ p.76
- **パート・シュクレ・ラペッド p.64**
  - タルト・オランデーズ p.78
  - ビジョン・ア・ロランジュ p.80
  - ポンポン・オ・ショコラ p.82
  - タルト・タタン p.84

シュー生地 p.88

- シュークリーム p.90
- カスタードクリーム p.92

アートディレクション　木村裕治
デザイン　川崎洋子（木村デザイン事務所）
撮影　今清水隆宏
スタイリング　白木なおこ
編集　大森真理

器協力店
テーブルギャラリー コンセプションズ

マンケ型が手に入る店
東洋商会 おかしの森
東京都台東区松が谷1-11-10　Tel 03-3841-9009

相原一吉（あいはら・かずよし）

1952年、東京生れ。香川栄養専門学校製菓科卒業。その後、故宮川敏子氏が主宰するスイス・フランス菓子研究所に勤務。'83年に宮川氏が急逝するまで助手を務める。宮川氏はヨーロッパで本格的な洋菓子とチョコレート作りを学び、日本における家庭の洋菓子作りの研究、普及に努めた人。今日、活躍中のたくさんのお菓子研究家に影響を与えた。相原氏も「家庭のお菓子こそ、手を抜かず、おいしいものを作らねば」という宮川氏の遺志を受け継ぎ、求めやすい材料と家庭の道具を使い、基本を大事にするレシピを開発し続けている。現在、スイス・フランス菓子研究所を主宰し、専門学校製菓科などで講師を務める。

スイス・フランス菓子研究所「お菓子の教室」
東京都北区中里1-15-2　大河原ビル802
Tel・Fax 03-3824-3477

文化出版局のホームページ　http://books.bunka.ac.jp/

好評既刊
相原一吉のお菓子の本
『もっと知りたい お菓子作りのなぜ？がわかる本』
『きちんとわかる、ちゃんと作れる！ チョコレートのお菓子の本』
『作り方のなぜ？がよくわかるタルトの本』
『バターの使い方がわかるお菓子の本』

お菓子作りのなぜ？がわかる本

発行　2001年9月10日　第1刷
　　　2021年7月1日　第29刷

著　者　相原一吉
発行者　濱田勝宏
発行所　学校法人文化学園 文化出版局
〒151-8524　東京都渋谷区代々木3-22-1
電話　03-3299-2565（編集）03-3299-2540（営業）

印刷・製本所　株式会社文化カラー印刷

©Kazuyoshi Aihara 2001　Printed in Japan
本書の写真、カット及び内容の無断転載を禁じます。

本書のコピー、スキャン、デジタル化等無断複製は著作権法上での例外を除き、禁じられています。本書を代行業者等の第三者に依頼してスキャンやデジタル化することは、たとえ個人や家庭内での利用でも著作権法違反になります。

文化出版局のホームページ　http://books.bunka.ac.jp/